EILEEN GRAY

L'exposition
The exhibition

EILEEN GRAY: A 'TOTAL' DESIGNER

Cloé Pitiot

Born in 1878, in Enniscorthy, Ireland, Eileen Gray has generally been considered as either an iconic Art Deco decorator or an emblematic modernist architect. Today, resolutely unique pieces of her work have subsisted, along with incomplete archives shrouded in mystery. While her creation has often been analysed from the point of view of the break between Art Deco and Modernism, the retrospective presented by the Musée National d'Art Moderne-Centre de Création Industrielle at the Centre Pompidou provides an opportunity to retrace this evolution in order to consider it in its entirety. Painting, lacquerwork, interior decoration, and architecture are all areas through which Gray was able to express the breadth of her sensibility. In the spirit of the *Gesamtkunstwerk* ("total artwork"), she is now perceived as a 'total' designer.

First lauded by avant-garde critics in the 1920s, Gray's creations would subsequently fade from memory and only find renewed interest from critics in 1968, through the writings of historian Joseph Rykwert[1]. The sale of the collection of fashion designer Jacques Doucet in 1972 would restore her full and rightful place within the decorative arts scene and, in 2009, the sale of the collections of Pierre Bergé and Yves Saint Laurent would elevate her to the pantheon of designers. Unlike some of her contemporaries, however, Gray never wished to create a systematic body of work. "Her art is not, as they say, a cerebral art. It is, on the contrary, the expression of a sensibility that vibrates with the new and rich forms of a new way of life; it emerges from a spontaneous and powerful impulse[2]."

NOTES

1 Joseph Rykwert, "Un omaggio a Eileen Gray: pioniera del design", *Domus*, Milano, December 1968, pp. 33-46.

2 Jean Badovici, "L'art d'Eileen Gray", *Wendingen*, 6th series, no. 6, Amsterdam, 1924, p. 15 [our translation].

EILEEN GRAY, CRÉATRICE TOTALE

Cloé Pitiot

Née en 1878, à Enniscorthy, en Irlande, Eileen Gray a généralement été considérée tantôt comme une décoratrice iconique de l'Art déco, tantôt comme une architecte emblématique du modernisme. Il subsiste aujourd'hui de son œuvre des pièces résolument uniques, des archives lacunaires et beaucoup de mystère. Si sa création a souvent été analysée sous l'angle de la rupture entre Art déco et modernisme, la rétrospective que le Musée national d'art moderne-Centre de création industrielle présente au Centre Pompidou se propose d'en retracer le cheminement afin de l'envisager dans sa globalité. Peinture, laque, décoration intérieure, architecture sont autant de domaines à travers lesquels Gray a su exprimer toute sa sensibilité. Dans l'esprit du *Gesamtkunstwerk* (« œuvre d'art totale »), elle est aujourd'hui perçue comme une créatrice totale.

D'abord encensées par la critique avant-gardiste dans les années 1920, les créations de Gray ont sombré dans l'oubli et n'ont suscité de nouveau l'intérêt de la critique qu'en 1968, sous la plume de l'historien Joseph Rykwert[1]. En 1972, la vente de la collection du couturier Jacques Doucet lui a redonné toute sa place sur la scène des arts décoratifs et, en 2009, celle de Pierre Bergé et Yves Saint Laurent l'a hissée au panthéon des designers. Gray n'a cependant jamais souhaité, au contraire de certains de ses contemporains, faire œuvre. « Son art n'est pas, comme on l'a dit, un art cérébral. Il est, au contraire, l'expression d'une sensibilité qui vibre aux neuves et riches formes de la nouvelle vie ; il est né d'un élan spontané et puissant[2]. »

NOTES

1 Joseph Rykwert, « Un omaggio a Eileen Gray : pioniera del design », *Domus*, Milan, décembre 1968, p. 33-46.

2 Jean Badovici, « L'art d'Eileen Gray », *Wendingen*, 6e série, n° 6, Amsterdam, 1924, p. 15.

Berenice Abbott

Portrait d'Eileen Gray, Paris
Portrait of Eileen Gray, Paris
1926

Collection particulière ◆ Private collection

La famille Gray
The Gray family
circa 1879

National Museum of Ireland, Dublin

Jennifer Laurent

ÉLÉMENTS BIOGRAPHIQUES

1878
Naissance de Kathleen Eileen Moray Smith le 9 août dans la demeure familiale de Brownswood, près d'Enniscorthy, dans le comté de Wexford en Irlande. Elle est le dernier enfant de James Maclaren Smith, peintre issu de la petite bourgeoisie, et d'Eveleen Pounden, qui, en 1895, fera valoir son droit au nom de Gray et deviendra la 19e lady Gray.

Elle partage son enfance entre Enniscorthy et la résidence familiale de South Kensington, à Londres, tout en effectuant de fréquents voyages à l'étranger.

1900
Mort de son frère, Lonsdale, durant la guerre des Boers, puis de son père.

Premier séjour à Paris pour visiter l'Exposition universelle avec sa mère. Cette expérience l'incite à s'inscrire dans une école d'art cette même année.

S'inscrit à la Slade School of Fine Art à Londres pour étudier la peinture, période durant laquelle elle occupe la résidence de sa famille au 169 S.W. Cromwell Road, South Kensington. Ses visites au Victoria and Albert Museum la familiarisent avec les laques asiatiques.

1901
Commence l'étude du laque oriental auprès de D. Charles, dans son atelier du 92 Dean Street à Soho. Elle restera en contact avec Charles durant toute sa carrière, lui demandant des conseils et échangeant avec lui sur de nouvelles techniques.

1902
S'établit à Paris avec un groupe d'amis – au nombre desquels figurent Kathleen Bruce et Jessie Gavin – pour étudier le dessin à l'Académie Colarossi, rue de la Grande-Chaumière à Montparnasse.

Trouve un logement au 3, rue Joseph-Bara, dans le 6e arrondissement, non loin du quartier des artistes à Montparnasse, où elle s'installe avec Bruce et Gavin.

Quitte l'Académie Colarossi pour l'Académie Julian, située rue du Dragon, qui prépare les étudiants à intégrer l'École des beaux-arts.

Expose une aquarelle intitulée *Derniers rayons de soleil d'une belle journée* au 120e Salon de la Société des artistes français au Grand Palais.

1905
Expose un tableau intitulé *Femme au sablier* au 123e Salon de la Société des artistes français au Grand Palais.

Retourne à Londres pour se rapprocher de sa mère malade. Reprend l'apprentissage du laque dans l'atelier de D. Charles ainsi que ses études à la Slade School.

Contracte une grave typhoïde et en réchappe miraculeusement. Se rend en Algérie pour sa convalescence.

1906
Retourne définitivement à Paris.

1907
Achète un appartement dans un hôtel particulier du XVIIIe siècle au 21, rue Bonaparte, appartement qu'elle conservera toute sa vie.

Commence à collaborer avec le laqueur japonais Seizo Sugawara, qui avait été envoyé en France par son pays pour réparer les laques exposés au Pavillon japonais durant l'Exposition universelle de 1900 à Paris.

1908
Un voyage dans l'Atlas avec Evelyn Wyld en 1908-1909 permet aux deux femmes de se familiariser avec les techniques de tissage et de teinture des artisans locaux.

1909
Gray achète sa première voiture, une Chenard & Walcker, et commence à s'intéresser à l'aviation.

1910
Ouvre un atelier de tissage avec Wyld au 17-19, rue Visconti, et commence à dessiner des motifs de tapis. Les deux femmes achètent des métiers en Angleterre et font venir un tisserand pour

former le groupe d'apprenties qu'elles ont engagées.

Ouvre un atelier de laque avec Sugawara au 11, rue Guénégaud.

1912

Sillonne les États-Unis en train en compagnie de sa sœur Thora, de Gabrielle Bloch et de Florence Gardiner.

1913

Expose pour la première fois au 8e Salon de la Société des artistes décorateurs au Pavillon de Marsan, au Musée des arts décoratifs à Paris. Gray présente quatre pièces : un dessus de cheminée intitulé *Om Mani Padme Hum*, une frise, des panneaux de bibliothèque jaune et argent, et un panneau laqué intitulé *La Forêt enchantée*. Ce dernier, également connu sous le nom Le *Magicien de la nuit*, attire l'attention de plusieurs futurs mécènes de l'artiste, dont Élisabeth de Gramont, duchesse de Clermont-Tonnerre, et le couturier Jacques Doucet.

1914

Doucet achète à l'atelier de Gray un paravent en laque, *Le Destin*, et, plus tard, lui commande plusieurs autres pièces de mobilier pour son nouvel appartement du 46, avenue du Bois, dont la décoration est confiée à Paul Iribe et Pierre-Émile Legrain. Quinze ans plus tard, le mobilier de Gray sera mis en valeur dans le décor du célèbre studio de Doucet, rue Saint-James à Neuilly.

1915

Expose un meuble laqué dans la section française des arts décoratifs modernes à la « Panama-Pacific International Exposition », à San Francisco.

Avec Élisabeth de Gramont, devient durant plusieurs mois ambulancière dans le Paris en guerre avant de rentrer avec Sugawara à Londres, où elle ouvre un atelier près de Cheyne Walk à Chelsea.

Son frère aîné, James, est tué à la guerre.

Eileen Gray à Paris
Eileen Gray in Paris
circa 1900

Collection particulière
Private collection

Brownswood, la maison familiale d'Eileen Gray, avant 1895
Brownswood, the family home of Eileen Gray, before 1895

National Museum of Ireland, Dublin

1917

Ne trouvant pas de clients pour ses meubles à Londres, Gray retourne à Paris, où elle reprend le travail dans ses ateliers de laque et de tissage.

L'édition anglaise de *Vogue* publie un article très élogieux sur ses laques.

1918

À la mort de sa mère, le 24 décembre, Gray retourne sur son lieu de naissance, Enniscorthy, pour les funérailles.

1919

Expose un paravent en laque intitulé *La Nuit* au 10e Salon de la Société des artistes décorateurs au Pavillon de Marsan.

Commence à rénover un appartement au 9, rue de Lota pour Juliette Lévy, dite Madame Mathieu Lévy, riche propriétaire de l'enseigne J. Suzanne Talbot. Ce chantier joue un rôle important dans la progression de la carrière de Gray, qui s'oriente vers l'architecture. À l'occasion de la seconde phase du projet – qui commence en 1922 et se terminera en 1924 –, elle engage un ébéniste, Kichizo Inagaki, pour l'aider dans le travail exigeant du hall d'entrée.

1920

Se rend au Mexique et visite Teotihuacán. Participe au premier vol des services postaux vers Acapulco.

1921

Achète une petite maison de week-end rue du Bas-Samois, à Samois-sur-Seine. Deux ans plus tard, elle achètera la maison mitoyenne, qu'elle utilisera d'abord comme atelier de laque pour Sugawara et qui sera rattachée plus tard à la première maison. Gray y accueillera occasionnellement des amis, et notamment la chanteuse de music-hall Damia, dont elle est très proche.

1922

Le 17 mai, organise un vernissage pour l'ouverture de la galerie Jean Désert au 217, rue du Faubourg-Saint-Honoré, où elle vend des pièces de mobilier et des tapis.

Gray comptera parmi ses clients le vicomte et la vicomtesse Charles et Marie-Laure de Noailles, le riche entrepreneur Jean-Henri Labourdette, l'artiste-peintre américaine Romaine Brooks et le maharajah d'Indore.

Expose au Salon d'automne au Grand Palais un ensemble de meubles comprenant une commode en bois exotique avec dessus laqué brun, un paravent laqué, un tapis à points noués, un tapis tissé et diverses tentures murales.

Participe à l'exposition de groupe « Exposition française d'Amsterdam. Industrie d'art et de luxe » organisée par le ministère français des Affaires étrangères au Paleis Voor Volksvlijt, à Amsterdam, pour promouvoir les arts décoratifs français à l'étranger.

1923

Participe au 14e Salon de la Société des artistes décorateurs au Grand Palais. Expose *Une chambre à coucher boudoir pour Monte-Carlo* qui lui vaut des critiques essentiellement négatives dans la presse française. Cet ensemble élaboré comprend un panneau en laque abstrait rouge, blanc et or, un lit de repos laqué, une paire de paravents constitués de fines briques rectangulaires blanches, une table d'appoint ronde à piètement octogonal, un bureau laqué noir avec poignées en ivoire sculpté, deux tapis et divers luminaires. En revanche, l'ensemble est très apprécié des critiques néerlandais, parmi lesquels les architectes Sybold van Ravesteyn, J. J. P. Oud et Jan Wils – qui appartiennent au mouvement De Stijl – et Albert Boeken.

À l'occasion d'une de ses premières incursions dans le monde de l'architecture, Gray commence les plans d'un projet expérimental inspiré de la villa Moissi d'Adolf Loos. Le projet ne se concrétisera jamais.

1924

Participe au 15e Salon de la Société des artistes décorateurs au Grand Palais. Expose des tapis et des tentures dans le cadre de la décoration d'un appartement présenté par Pierre Chareau sous le titre « La réception et l'intimité d'un appartement moderne ».

Participe à « L'architecture et les arts qui s'y rattachent », exposition organisée par l'amicale de l'École spéciale d'architecture. Y présente une coiffeuse, un miroir, une table et deux lampes.

Un numéro spécial de *Wendingen* (« tournant décisif »), revue néerlandaise d'art et d'architecture d'avant-garde, est consacré aux intérieurs de Gray. Il comprend une introduction de Wils et un article de Jean Badovici.

1925

En compagnie de Badovici, visite la maison Schröder de Gerrit Rietveld à Utrecht.

1926

Ayant acheté un terrain en bord de mer à Roquebrune-Cap-Martin, se lance dans les plans d'une résidence de vacances pour Badovici. Ce projet, qui deviendra sa réalisation architecturale la plus célèbre, porte le nom de *E 1027*, d'après un jeu sur ses initiales et celles de Badovici. Construite en collaboration avec Badovici, la villa sera achevée en 1929.

Eileen Gray lors d'un séjour dans les Alpes, s. d.
Eileen Gray during a visit to the Alps, n.d.
Collection particulière
Private collection

Conçoit une *Petite maison pour un ingénieur* qui demeurera à l'état de projet.

Gray et Wyld exposent leurs tapis à l'Exposition d'art appliqué annuelle, au Musée Galliera.

1927

Wyld quitte l'atelier de tissage de Gray pour créer et confectionner ses propres tapis en collaboration avec l'artiste-peintre américaine Eyre de Lanux.

Se rend à Stuttgart avec Badovici, où elle visite l'exposition d'architecture moderniste « Die Wohnung ». Parmi les exposants figurent Walter Gropius, Mies van der Rohe et Le Corbusier.

1929

Création de l'Union des artistes modernes (UAM) par un groupe de membres dissidents de la Société des artistes décorateurs. Gray en est l'un des membres fondateurs.

Intitulé *E 1027. Maison en bord de mer*, un numéro spécial de *L'Architecture vivante* est consacré à la villa.

Vend la demeure familiale des Gray à Enniscorthy.

1930

Commence des plans pour un studio parisien destiné à Badovici, au 7, rue Chateaubriand.

En collaboration avec Badovici, présente des photographies et des plans de *E 1027* à la première exposition de l'UAM, au Pavillon de Marsan. Gray est déçue par le mauvais emplacement de son stand et par le fait que sa participation ne soit pas mentionnée dans le catalogue.

Ferme définitivement la galerie Jean Désert et l'atelier de laque au 11, rue Guénégaud.

1931

Présente à la deuxième exposition annuelle de l'UAM, organisée à la galerie Georges Petit, des plans de systèmes de rangement pour des appartements modernes, des photographies du studio qu'elle a conçu pour Badovici rue Chateaubriand et des projets pour une tente de camping.

Commence les plans de *Tempe a Pailla*, maison qu'elle se destine, sur un site qui surplombe la Méditerranée à Castellar. Il s'agit de son premier projet architectural indépendant. Les travaux de construction commencent en 1934 et s'achèveront en 1935.

1933

À l'occasion d'un deuxième projet de décoration intérieure pour le nouvel appartement de Madame Mathieu Lévy, boulevard Suchet, cette fois placé sous la direction de l'architecte Paul Ruaud, Gray crée un canapé blanc et deux fauteuils *Bibendum* blancs. L'intérieur est présenté dans *L'Illustration*, sans mention du nom de Gray.

Commence à travailler sur une commande privée pour une *Maison-atelier pour deux sculpteurs*, qui comprend une partie logement et un atelier. Deux versions de ce projet seront élaborées au cours des deux années suivantes, mais aucune ne sera réalisée.

Participe au 23e Salon de la Société des artistes décorateurs, au Grand Palais, où elle présente des meubles et des sièges pour un hall, ainsi que des photographies et des maquettes architecturales.

1934

Démissionne de l'UAM.

Se rend au Mexique et en revient via New York, où elle rencontre Frederick Kiesler.

1936

Élabore des plans pour une *Maison ellipse* préfabriquée, composée d'unités modulaires et conçue pour être facilement transportée, montée et démontée. Les plans resteront à l'état de projet.

1937

Les plans de Gray pour un *Centre de vacances*, commencés en 1936, sont présentés à l'Exposition internationale de Paris dans le Pavillon des temps nouveaux de Le Corbusier. Le projet, qui comprend une plate-forme de stationnement, une zone administrative, divers complexes de vacances, un terrain de camping, un restaurant, une zone de loisirs et un gymnase, ne sera jamais réalisé.

« Le décor de la vie de 1900 à 1925 », exposition organisée au Pavillon de Marsan durant l'Exposition internationale, présente deux meubles conçus par Gray pour Doucet dans les années 1910 : une table laquée rouge connue sous le nom de *Table aux chars* et un paravent à double face laqué intitulé *Le Destin*.

1939

Achète un vignoble doté d'un vieux bâtiment en pierre au pied de la chapelle Sainte-Anne, en bordure de Saint-Tropez, où, quinze ans plus tard, elle s'attaquera à sa dernière réalisation architecturale, la maison *Lou Pérou*.

1941

En tant qu'étrangères durant la guerre, Gray et plusieurs de ses amies, dont Kate Weatherby et Evelyn Wyld, sont contraintes de quitter la côte méditerranéenne pour Lourmarin, dans le Vaucluse.

1945

Une fois la paix rétablie, Gray découvre que *Tempe a Pailla* a été pillée et que la plupart de ses biens ont été détruits. Elle décide alors d'entreprendre de conséquents travaux de restauration.

1946

Adoptant dans ses sujets architecturaux une orientation de plus en plus sociale, Gray commence des plans pour un *Centre culturel et social* qui comprend une zone de loisirs, un espace de restauration et une bibliothèque. Les plans resteront à l'état de projet.

1953

Gray adhère de nouveau à l'UAM, et accepte de participer à l'exposition du Musée d'art moderne, où elle compte présenter certaines de ses créations réalisées pour sa maison *Tempe a Pailla*. L'exposition sera annulée.

1954

Gray rénove et agrandit *Lou Pérou* qui sera achevée en 1961. Gray y passera désormais ses étés et retournera dans son appartement parisien chaque automne.

1955

Vente de *Tempe a Pailla* au peintre britannique Graham Sutherland.

1956

Badovici meurt à Monaco le 17 août.

1968

Un article écrit par Joseph Rykwert, historien de l'architecture, et publié dans la revue d'architecture et de design *Domus*, attire de nouveau l'attention sur le travail de Gray.

1972

Gray est nommée « Royal Designer for Industry » par la British Society of Arts.

À l'hôtel des ventes de Drouot, à Paris, l'ancienne collection Jacques Doucet est mise aux enchères. Parmi les meubles qui proviennent du studio du couturier, rue Saint-James, figurent le paravent laqué *Le Destin*, la *Table aux lotus* et la *Table au bilboquet*.

1973

Gray est élue membre d'honneur du Royal Institute of Irish Architects.

Une rétrospective intitulée « Eileen Gray. Pioneer of Design » est organisée par le Royal Institute of British Architects (RIBA) à Londres.

1976

Eileen Gray meurt dans son appartement parisien le 31 octobre.

Jennifer Laurent

SELECTIVE BIOGRAPHY

1878

Born Kathleen Eileen Moray Smith on the 9th of August at the family home Brownswood, near Enniscorthy, in the County Wexford, Ireland. Gray is the youngest child of father James Maclaren Smith, a middle-class painter, and mother Eveleen Pounden, who will reclaim the family right to the name Gray in 1895, becoming the 19th Lady Gray.

Her childhood is spent between the family home in Enniscorthy and the family residence in South Kensington, London, interspersed with frequent international travels.

1900

Death of her brother Lonsdale while fighting in the Boer war, and then of her father.

Travels to Paris for the first time to visit the Exposition Universelle with her mother, an experience which incites her to enrol in art school for the autumn semester of that year.

Enrols at the Slade School of Fine Art in London to study painting, during which time she resides at the family residence at 169 S.W. Cromwell Road, South Kensington. Visits to the Victoria and Albert Museum acquaint her with Asian lacquerwork.

1901

Begins the study of oriental lacquer technique with D. Charles in his shop at 92 Dean Street in Soho. She will remain in contact with Charles throughout her career, asking for technical advice and exchanging new methods.

1902

Moves to Paris with two classmates from the Slade School, Kathleen Bruce and Jessie Gavin, to study drawing at the Académie Colarossi, in the rue de la Grande-Chaumière in Montparnasse.

With Bruce and Gavin, finds lodging at 3 Rue Joseph-Bara, in the 6th arrondissement, not far from the artists' quarter of Montparnasse.

Leaves the Académie Colarossi for the Académie Julian, in the Rue du Dragon, where students received preparatory training for entrance into the École des Beaux-Arts.

Exhibits a watercolour entitled *Derniers rayons de soleil d'une belle journée* [*Last Rays of Sun on a Beautiful Day*] at the 120th Salon de la Société des Artistes Français held at the Grand Palais.

1905

Returns to London to be with her ailing mother, where she also resumes her apprenticeship in lacquerwork in Charles' studio, as well as her studies at the Slade School.

Contracts a very severe case of typhoid fever and miraculously recovers. Travels to Algeria to convalesce.

Exhibits a painting entitled *Femme au sablier* [*Woman with an Hourglass*] at the 123rd Salon de la Société des Artistes Français held at the Grand Palais.

1906

Returns definitively to Paris.

1907

Purchases a flat in an 18th century hotel particulier at 21 Rue Bonaparte, which she will own her entire life. Begins working in collaboration with Japanese lacquer specialist Seizo Sugawara, who was originally sent to Paris by his country to repair the lacquers on display in the Japanese pavilion during the Exposition Universelle in Paris in 1900.

1908

A trip to the Atlas Mountains with Evelyn Wyld in 1908-9 introduces the two women to the weaving and dyeing techniques of local artisans.

1909

Gray buys her first car, a Chenard & Walcker, and begins to take an interest in aviation.

Eileen Gray avec sa sœur Thora
Eileen Gray with her sister Thora
1895
National Museum of Ireland, Dublin

1910

Opens a weaving workshop with Wyld at 17-19 Rue Visconti where she also begins to draw carpet designs. The two women purchase looms in England and bring over a weaver to teach a group of hired apprentices.

Opens a lacquer workshop with Sugawara at 11 Rue Guénégaud.

1912

Accompanied by her sister Thora and friends Gabrielle Bloch and Florence Gardiner, travels the United States by train.

1913

Exhibits for the first time at the 8th Salon de la Société des Artistes Décorateurs in the Pavillon de Marsan in Paris. Gray's contribution comprises four projects: a mantelpiece entitled *Om Mani Padme Hum*, a frieze, yellow and silver library panels, and a lacquered panel entitled *La Forêt enchantée* [*The Enchanted Forest*]. Also known as *Le Magicien de la nuit* [*The Magician of the Night*], this panel attracts the attention of several future patrons, including Élisabeth de Gramont, duchesse de Clermont-Tonnerre, and fashion designer Jacques Doucet.

1914

Doucet purchases the double-sided lacquer screen *Le Destin* [*Destiny*] from Gray's studio, and later commissions her to design a number of other pieces for his new apartment at 46 Avenue du Bois, the decoration of which Doucet has placed under the direction of Paul Iribe and Pierre-Emile Legrain. Fifteen years later, Gray's pieces will also be highlighted in the decor of Doucet's renowned studio in the Rue Saint-James, in Neuilly.

1915

Exhibits a piece of lacquered furniture in the modern decorative art display in the French Section at the "Panama Pacific International Exposition" in San Francisco.

With Élisabeth de Gramont, drives an ambulance in Paris for several months during wartime before returning to London with Sugawara, where she opens a workshop near Cheyne Walk in Chelsea.

Her eldest brother, James, is killed in the war.

1917

Having failed to find a clientele for her furniture in London, returns to Paris where she resumes work in her lacquer and weaving workshops.

English edition of *Vogue* publishes laudatory article on Gray's lacquerwork.

1918

Upon the death of her mother on December 24th, returns to her birthplace, Enniscorthy, for the funeral.

1919

Exhibits a lacquer screen entitled *La Nuit* [*The Night*] at the 10th Salon de la Société des Artistes Décorateurs held in the Pavillon de Marsan.

Begins work on the renovation of an apartment at 9 Rue de Lota for Juliette Lévy, also known as Madame Mathieu Lévy, wealthy owner of the brand J. Suzanne Talbot. Completed in 1924, this is an important project in the progression of Gray's career from decoration to architecture. Hires a cabinetmaker named Kichizo Inagaki to help with the demanding task of lacquering the Hall during the second phase of the project, begun in 1922.

1920

Travels to Mexico and visits Teotihuacán. Participates in the first flight of the postal service to Acapulco.

1921

Buys a small weekend house on the Rue du Bas-Samois, in Samois-sur-Seine. Gray will purchase the neighbouring house two years later, which she initially uses as a lacquer workshop for Sugawara, and eventually attaches to the original house. Gray would on occasion welcome friends here, including music hall singer Damia, with whom she is very close.

Eileen Gray « à la lord Byron »
Eileen Gray "à la lord Byron"
circa 1910
Tirage argentique
Gelatin silver print
Collection particulière
Private collection

1922

On May 17th, holds the vernissage for the opening of her Galerie Jean Désert at 217 Rue du Faubourg-Saint-Honoré, where she sells her pieces of furniture and carpets. Her clients would include the Vicomte and Vicomtesse Charles and Marie-Laure de Noailles, wealthy entrepreneur Jean-Henri Labourdette, American painter Romaine Brooks, and the Maharajah of Indore.

Exhibits at the Salon d'Automne at the Grand Palais, where her ensemble consists of a commode in exotic wood with a brown lacquered top, a lacquered screen, a knotted carpet, a woven carpet, and various wall hangings.

Participates in the group exhibition "Exposition française d'Amsterdam. Industries d'art et de luxe", organised by the French Ministry of Foreign Affairs at the Paleis Voor Volksvlijt in Amsterdam with the goal of showcasing the French Decorative Arts abroad.

1923

Participates in the 14th Salon de la Société des Artistes Décorateurs held at the Grand Palais, exhibiting the *Boudoir de Monte-Carlo*, which receives mostly negative reviews in the French press. Gray's elaborate ensemble includes an abstract red, white and golden lacquered panel, a lacquered lit de repos, a pair of white brick screens, a round occasional table with an octagonal base, a black lacquered desk with carved ivory handles, two carpets and various lighting elements. The ensemble receives a great deal of appreciation from Dutch critics such as architects Sybold van Ravesteyn, J. J. P. Oud and Jan Wils, who belong to the De Stijl movement, as well as Albert Boeken.

In one of her earliest forays into architecture, begins work on plans for an experimental architectural project based on Adolf Loos's *Villa Moissi*. The project is never realised.

1924

Participates in the 15th Salon de la Société des Artistes Décorateurs held at the Grand Palais, where she exhibits her carpets and hangings as part of an apartment decor organised by Pierre Chareau entitled "La réception et l'intimité d'un appartement moderne" ["The Reception and Privacy of a Modern Apartment"].

Participates in "L'architecture et les arts qui s'y rattachent", an exhibition organised by the Amicale de l'École spéciale d'architecture, where she exhibits a coiffeuse, a mirror, a table and two lamps.

A special issue of Dutch avant-garde art and architecture journal *Wendingen* (which means *Inversions*) is devoted to Gray's interiors, with an introduction by Wils and an article by Jean Badovici.

1925

With Badovici, visits the Maison Schröder by Gerrit Rietveld in Utrecht.

1926

Having purchased a plot of seafront land in Roquebrune-Cap-Martin, begins work on plans for a vacation house for Badovici, which will become her best-known architectural work. The project, named *E 1027* in a play upon the initials of both Gray and Badovici, and executed in collaboration with Badovici himself, is completed in 1929.

Design for hypothetical architectural project *Small House for an Engineer*, which is never realised.

Gray and Wyld display their carpets at the Exposition d'Art Appliqué annuelle at the Musée Galliera in Paris.

1927

Wyld leaves Gray's weaving workshop to design and make her own carpets in collaboration with American painter, Eyre de Lanux.

Travels to Stuttgart with Badovici, where they visit the modernist architecture exhibition "Die Wohnung". Exhibitors include Walter Gropius, Mies van der Rohe and Le Corbusier.

1929

Creation of the Union des Artistes Modernes (UAM) by a group of dissenting members of the Société des Artistes Décorateurs. Gray is a founding member.

A special edition of *L'Architecture Vivante* is devoted to *E 1027*: *E 1027. Maison en bord de mer.*

Sells the Gray family home in Enniscorthy.

1930

Begins plans for a Paris studio apartment for Badovici at 7 Rue Chateaubriand.

In collaboration with Badovici, presents photos and plans for *E 1027* at the first exhibition of the UAM at the Pavillon de Marsan. Gray is disappointed with the poor placement of her stand as well as the omission of her project from the catalogue.

Definitively closes Jean Désert and the lacquer workshop at 11 Rue Guénégaud.

1931

Participates in the second annual exhibition of the UAM, held at the Galerie Georges Petit, where she exhibits designs for storage systems for modern apartments, photographs of the studio she designed for Badovici, as well as designs for a camping tent.

Begins designs for *Tempe a Pailla*, a house for herself and her first independent building project, on a site overlooking the Mediterranean Sea in Castellar. Construction begins in 1934 and is completed in 1935.

1933

During a second interior design project for Madame Mathieu Lévy's new apartment on the Boulevard Suchet, this time under the direction of architect Paul Ruaud, Gray creates a white sofa and two white *Bibendum* armchairs. The interior is featured in the magazine *L'Illustration* without mention of Gray's name.

Begins work on a private commission for a *House and Studio for Two Sculptors,* which integrates a house and a workshop. Although two versions of this project are developed over 2 years, the project is not realised.

Participates in the 23rd Salon de la Société des Artistes Décorateurs held at the Grand Palais, where she presents furniture and seating for a hall, as well as architectural photos and models.

1934

Resigns from the UAM.

Travels to Mexico and returns through New York, where she meets Frederick Kiesler.

1936

Develops plans for a prefabricated *Ellipse House* with modular units, designed to be easily transported, mounted and dismounted. The project is not realised.

1937

Gray's plans for a *Vacation and Leisure Centre*, begun in 1936, are exhibited at the Exposition Internationale de Paris in Le Corbusier's *Pavillon des Temps Nouveaux*. The project, comprising a parking platform, an administrative area, various vacation housing complexes, a campground, a restaurant, an entertainment area and gymnasium, is not realised.

"Le décor de la vie de 1900 à 1925", an exhibition held at the Pavillon de Marsan during the Exposition Internationale, exhibits two pieces designed by Gray for Doucet during the 1910s: a red lacquered table known as *Table aux chars* [*Chariot*

Table] and the lacquered double-sided screen entitled *Le Destin* [*Destiny*].

1939

Purchases a vineyard with an old stone building on it at the foot of La Chapelle-Sainte-Anne, outside Saint-Tropez, where she will begin work on her last construction, a summer home she will name *Lou Pérou*, 15 years later.

1941

As a foreigner during wartime, Gray and others including friends Kate Weatherby and Evelyn Wyld are forced to leave the Mediterranean coast for Lourmarin, in the Vaucluse.

1945

Once peace is restored, discovers that *Tempe a Pailla* has been looted and most of her possessions destroyed. Gray decides to undertake significant restoration work.

1946

Increasingly socially-minded in her architectural subjects, begins designs for a *Cultural and Social Centre*, which contains entertainment, dining and library facilities. The project is not realised.

1953

Gray rejoins the UAM, agreeing to participate in the exhibition at the Musée d'Art Moderne in Paris where she intends to show designs of *Tempe a Pailla*. The exhibition is later cancelled.

1954

Renovates and enlarges *Lou Pérou*. The house is completed in 1961. Subsequent summers were spent here, while Gray would return to her Paris apartment each autumn.

1955

Sells *Tempe a Pailla* to British painter Graham Sutherland.

1956

Badovici dies in Monaco on the 17th of August.

1968

An article written by architectural historian Joseph Rykwert, published in architecture and design journal *Domus*, brings Gray's work to light again.

1972

Named Royal Designer for Industry by the British Society of Arts.

At the Hotel Drouot in Paris, the sale of the former collection of Jacques Doucet auctions pieces from the fashion designer's renowned Studio Saint-James in Neuilly. Amongst these are the lacquered screen *Le Destin* [*Destiny*], the *Table aux lotus* [*Lotus Table*] and the *Table au bilboquet* [*Bilboquet Table*].

1973

Elected honorary member of the Royal Institute of Irish Architects.

A retrospective exhibition entitled "Eileen Gray. Pioneer of Design" is held at the Royal Institute of British Architects (RIBA) in London.

1976

Eileen Gray dies in her Paris apartment on the 31st of October.

Alan Irvine

Portrait d'Eileen Gray dans son appartement parisien
Portrait of Eileen Gray in her Paris apartment
1970

Centre Pompidou, Bibliothèque Kandinsky, Paris
Fonds Eileen Gray
Eileen Gray Collection

L'ART DU LAQUE

Les premiers contacts d'Eileen Gray avec l'art du laque datent de 1900, lors de ses déambulations régulières dans les salles du Victoria and Albert Museum à Londres ou dans celles du National Museum of Ireland à Dublin. Alors étudiante à la Slade School of Fine Art à Londres, elle remarque une affiche de l'atelier de D. Charles présentant son travail de réparation et de restauration de paravents et d'objets en laque. Fascinée par ce médium, Gray demande à Charles de lui enseigner la longue et rigoureuse technique du laque. Il lui délivre les secrets des laques de Chine appliqués à des techniques plus européennes. Quand Gray choisit de s'établir à Paris à la fin de l'année 1906, elle fait la connaissance quelques mois plus tard de l'artisan laqueur Seizo Sugawara, auprès de qui elle perfectionne son apprentissage. Elle ouvre avec lui en 1910 un atelier au 11, rue Guénégaud ; leur collaboration durera plus de vingt ans. De leur atelier sortiront des pièces emblématiques comme *Le Magicien de la nuit*, le fauteuil *Sirène* ou les œuvres achetées par le célèbre couturier Jacques Doucet : *Le Destin*, la *Table aux chars*, la *Table aux lotus* et la *Table au bilboquet*. L'aménagement de l'appartement de Madame Mathieu Lévy, modiste de l'enseigne J. Suzanne Talbot au 9, rue de Lota, doit également la splendeur de ses panneaux de laque et de son mobilier à cette association entre une artiste-conceptrice irlandaise en quête d'innovation et un artiste-artisan japonais expert en son domaine. La communion de leurs savoirs combinée à la sensibilité et l'infini talent de Gray est à l'origine de certains des plus beaux chefs-d'œuvre en laque du début du XXe siècle en Occident.

THE ART OF LACQUERWORK

Eileen Gray's first discovers the art of lacquerwork in 1900, during her regular strolls through the rooms of the Victoria and Albert Museum in London, or those of the National Museum of Ireland in Dublin. While studying at the Slade School of Fine Art in London, she noticed a poster for D. Charles' studio, presenting his repair and restoration work on screens and pieces of lacquerwork. Fascinated by this medium, Gray asked Charles to teach her the long and rigorous technique of lacquerwork. He instructed her in the secrets of Chinese lacquerwork applied to more European techniques. Gray chose to settle in Paris in late 1906. Several months later she made the acquaintance of lacquerwork craftsman Seizo Sugawara, and perfected her training with him. In 1910, they opened a studio together at 11 Rue Guénégaud and their collaboration was to last over twenty years. From their studio emerged such emblematic pieces as *The Magician of the Night*, the *Siren* armchair or the works purchased by renowned fashion designer Jacques Doucet: *Destiny*, the *Chariot Table*, the *Lotus Table* and the *Bilboquet Table*. The interior decoration of the apartment at 9 Rue de Lota for Madame Mathieu Lévy – the milliner from the boutique J. Suzanne Talbot – also owed the splendour of its lacquerwork panels and furniture to this association between the Irish artist/designer in search of innovation and the Japanese artist/craftsman who was an expert in his field. Their shared expertise, combined with Gray's sensibility and infinite talent, resulted in some of the most beautiful lacquerwork masterpieces of the early 20th century in the Western world.

Eileen Gray - Seizo Sugawara

Le Magicien de la nuit
The Magician of the Night
circa 1913

Panneau en laque de Chine gravé façon Coromandel et rehaussé de couleurs, à incrustations de burgau, sur fond uni de laque rouge sang-de-bœuf ; encadrement d'origine en laque noir
Panel in Chinese lacquerwork engraved in a Coromandel style and enhanced with colour and mother of pearl inlay, on a blood-red lacquer background; original frame in black lacquer

Signé au dos « Sougawara »
Signed "Sougawara" on the back

Collection particulière
Private collection

Seizo Sugawara photographié par Eileen Gray, dans son atelier, 11, rue Guénégaud, Paris, s. d.
Seizo Sugawara photographed by Eileen Gray, at her studio, 11 Rue Guénégaud, Paris, n.d.
National Museum of Ireland, Dublin

LA *TABLE AUX CHARS*

La *Table aux chars* était placée dans le vestibule d'entrée de l'appartement[1] du célèbre couturier Jacques Doucet. Le collectionneur et mécène rencontre Eileen Gray en 1913, peu de temps après la vente de sa prestigieuse collection de peintures, dessins et mobilier du XVIIIe siècle, alors qu'elle expose au 8e Salon de la Société des artistes décorateurs au Pavillon de Marsan. Subjugué par la qualité et l'originalité de ses laques, Doucet visite son atelier du 21, rue Bonaparte, et lui achète aussitôt le majestueux paravent *Le Destin*. Il lui commande par la suite entre 1913 et 1915 la *Table aux chars*, la *Table aux lotus* et la *Table au bilboquet*. Si ces meubles demeurent encore dans des collections particulières, la correspondance entre Gray et Doucet laisse supposer la commande d'autres pièces de mobilier aujourd'hui inconnues.

1 – L'appartement était situé au 46, avenue du Bois (actuelle avenue Foch), dans le 16e arrondissement de Paris.

THE *CHARIOT TABLE*

The *Chariot Table* was placed in the entrance hall of the apartment[1] of the renowned fashion designer Jacques Doucet. This collector and patron of the arts met Eileen Gray in 1913, not long after the sale of his prestigious collection of paintings, drawings and 18th century furniture, while she was exhibiting her work at the 8th Salon de la Société des Artistes Décorateurs at the Pavillon de Marsan. Enthralled by the quality and originality of her lacquerwork, Doucet visited her studio at 21 Rue Bonaparte and immediately bought the majestic screen *Destiny*. He later commissioned the *Chariot Table*, the *Lotus Table* and the *Bilboquet Table* between 1913 and 1915. While these pieces have remained in private collections, the correspondence between Gray and Doucet suggests that other pieces of furniture were commissioned that remain unknown to date.

1 – The apartment was located at 46 Avenue du Bois (present-day Avenue Foch), in the 16th arrondissement of Paris.

Table aux chars

Chariot Table

circa 1915

Bois laqué rouge et noir, tiroir à poignée d'ébène et d'ivoire ◆ Red and black lacquered wood, drawer with handle in ebony and ivory

Conçue pour Jacques Doucet
Designed for Jacques Doucet

Collection particulière, courtesy galerie Vallois, Paris ◆ Private collection, courtesy Galerie Vallois, Paris

Console
Console table
circa 1918-1920

Bois laqué de Chine poli et arraché, plateau en laque ardoise mouchetée et métallisée, tirettes aux deux extrémités en bois laqué orange corail, piètement composé d'un tablier curviligne et de trois disques en laque. Les pieds en laque kaki, brun foncé et orange, sont agrémentés, dans leur partie supérieure, d'une composition en laque arraché et se terminent par des pieds boules laqués corail. ◆ Chinese lacquered wood, polished and textured; lacquered, flecked and metallised slate grey top; drawers at both ends in coral/orange lacquered wood; base consisting of a curved beam and three lacquered discs. The legs are in khaki, dark brown and orange lacquer, decorated in the upper section with a composition in textured lacquer, supported by feet in the form of lacquered coral balls.

Pièce unique ◆ Unique piece

Collection particulière
Private collection

Fauteuil *Sirène*
Siren Armchair
circa 1919

Structure en bois sculpté et laqué, assise en velours ◆ Sculpted and lacquered structure, velvet seat

Anthony DeLorenzo

Paravent en briques
Brick screen
1919-1922

Bois laqué noir ◆ Black lacquered wood

Collection particulière, courtesy galerie Vallois, Paris ◆ Private collection, courtesy Galerie Vallois, Paris

◆◆

LE PARAVENT EN BRIQUES

Le paravent en briques renouvelle la lecture de l'espace dans la construction de l'architecture intérieure chez Eileen Gray. Il est le résultat de la combinaison des précédents paravents de la créatrice et d'un nouveau système mobile de briques de laque et de pierre du Japon réduite en poudre qu'elle utilise pour habiller les murs du couloir-antichambre de l'appartement de Madame Mathieu Lévy rue de Lota. Les différents degrés d'ouverture et de fermeture des briques associés aux effets de reflets produits par leur surface laquée donnent à cette pièce de mobilier un pouvoir inédit d'animation spatiale : le paravent ne crée plus seulement deux espaces distincts, mais à travers un jeu entre vides et pleins, établit un dialogue entre ces espaces.

THE BRICK SCREEN

The brick screen revolutionised the interpretation of space in Eileen Gray's interior architectural constructions. It is the result of the combination of earlier screens by the designer, and of a new mobile system of lacquerwork bricks and pulverised stone from Japan, which she used to decorate the walls of the antechamber/corridor of Madame Mathieu Lévy's apartment in Rue de Lota. The varying degrees of opening and closure of the bricks, associated with the reflective effects produced by their lacquered surface lend unique powers of spatial animation to this piece of furniture: the screen now not only creates two distinct spaces, but through an interplay of empty and full zones, it serves to establish a dialogue between both areas.

◆◆

« LE RÔLE DES ARTISTES EST DE DEVANCER LE MOUVEMENT ÉTERNEL DES SENSIBILITÉS, D'EXPRIMER LES RELATIONS SECRÈTES ENTRE L'HOMME ET L'UNIVERS »

"THE ROLE OF THE ARTIST IS TO ANTICIPATE THE ETERNAL MOVEMENT OF EMOTIONS, TO EXPRESS THE SECRET RELATIONS BETWEEN MAN AND THE UNIVERSE"

JEAN BADOVICI

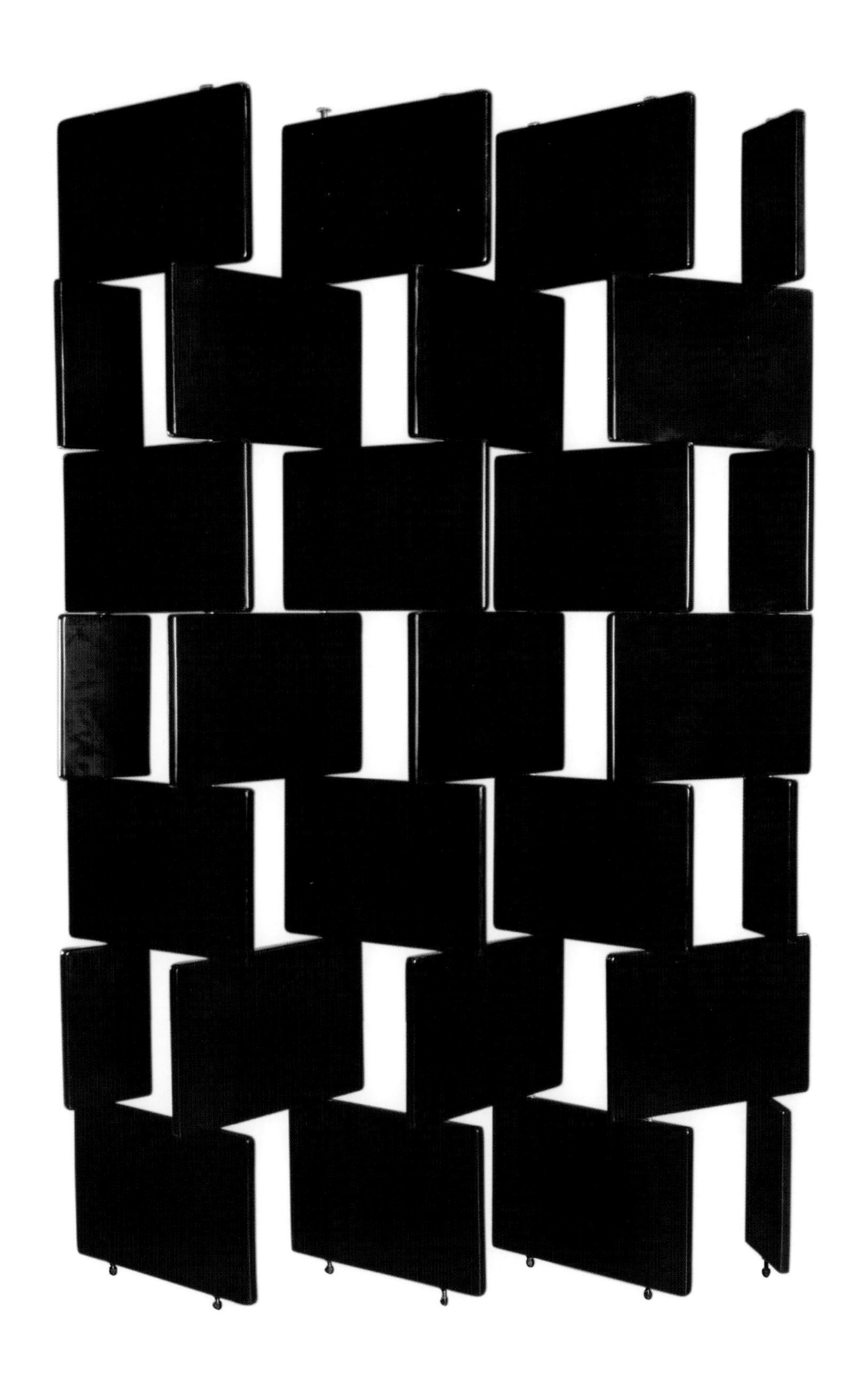

LA GALERIE JEAN DÉSERT

Eileen Gray ouvre la galerie Jean Désert le 17 mai 1922 au 217, rue du Faubourg-Saint-Honoré, au cœur d'un quartier dédié à l'art et au luxe. Ses plus proches voisins sont Paul Poiret et ses ateliers Martine, la maison Dominique, Paul Iribe et Cie et la Compagnie des arts français.

Sa clientèle est composée d'aristocrates avant-gardistes, de couturiers, financiers, femmes de lettres, artistes – Charles et Marie-Laure de Noailles, Philippe de Rothschild, Elsa Schiaparelli, Pierre Meyer, Jacques Errera, Jean-Henri Labourdette, Boris Lacroix, Henri Pacon, René Raoul-Duval, Damia, Romaine Brooks, Loïe Fuller. Pièces de mobilier, tapis, projets d'installation d'appartements et de décoration sont exposés au rez-de-chaussée, alors qu'au sous-sol est aménagé un atelier de tissage. On pourrait imaginer à cette époque qu'Eileen Gray passe la plupart de son temps derrière sa table à dessin. En réalité, elle se consacre aussi à la supervision des nombreux artisans qui œuvrent pour Jean Désert, comme le réseau de créateurs japonais proche de Seizo Sugawara et Kichizo Inagaki, les artisans et entrepreneurs parisiens les plus avant-gardistes en termes de matériaux, comme Abel Motté, ou bien encore la créatrice textile Hélène Henry, engagée dans l'Union des artistes modernes. La décennie Jean Désert représente la période la plus prolifique de Gray. De 1922 à 1930, sortiront de la galerie de somptueuses pièces de laque, d'emblématiques prototypes en tube de métal chromé et l'étonnant aménagement de la *Chambre à coucher boudoir pour Monte-Carlo*.

THE GALERIE JEAN DÉSERT

Eileen Gray opened the Galerie Jean Désert on 17 May 1922 at 217 Rue du Faubourg-Saint-Honoré, in the heart of a neighbourhood dedicated to art and luxury goods. Her closest neighbours were Paul Poiret and his Ateliers Martine, the Maison Dominique, Paul Iribe et Cie, and the Compagnie des Arts Français. Her clientele consisted of avant-garde aristocrats, fashion designers, financiers, women of letters and artists – including Charles and Marie-Laure de Noailles, Philippe de Rothschild, Elsa Schiaparelli, Pierre Meyer, Jacques Errera, Jean-Henri Labourdette, Boris Lacroix, Henri Pacon, René Raoul-Duval, Damia, Romaine Brooks, and Loïe Fuller. Furniture and carpets, along with interior design and decoration projects for apartments were exhibited on the ground floor, while the basement accommodated a weaving workshop. We may imagine that during this period Eileen Gray spent most of her time at her drawing table. In reality, she also devoted her time to the supervision of the many artisans who worked for Jean Désert, such as the network of Japanese designers close to Seizo Sugawara and Kichizo Inagaki, the most avant-garde Parisian artisans and entrepreneurs in terms of their use of materials, such as Abel Motté, or textile designer Hélène Henry, who belonged to the Union des Artistes Modernes. The Jean Désert decade represents Gray's most prolific period. From 1922 to 1930, sumptuous pieces of lacquerwork, emblematic prototypes in chromed tubular metal, and the striking installation of the *Boudoir de Monte-Carlo* emerged from the gallery.

Devanture de la galerie
Jean Désert, 217, rue du
Faubourg-Saint-Honoré, Paris
Storefront from the Galerie
Jean Désert, 217 Rue du
Faubourg-Saint-Honoré,
Paris
circa 1927

Collection particulière
Private collection

Tapis Saint-Tropez
Saint-Tropez carpet
1975

Laine ◆ Wool

Édition Donegal Carpets
Donegal Carpets Edition

National Museum of Ireland, Dublin

Tapis
Carpet
circa 1925
Coton ◆ Cotton
Galerie Vallois, Paris

L'ATELIER DE TISSAGE D'EILEEN GRAY ET EVELYN WYLD

En 1910, Eileen Gray ouvre avec Evelyn Wyld un atelier de tissage de tapis et de tentures au 17-19, rue Visconti, adoptant les techniques de tissage traditionnelles qu'elles ont découvertes lors de leur voyage dans l'Atlas. Au milieu des années 1920, huit femmes y tissent des fils de laine ou de coton. Gray est au départ seule en charge de la conception des motifs, qui évoluent d'un figuratif relatif à une abstraction géométrique plus affirmée, alors que Wyld s'occupe de la réalisation et de la fabrication. Leurs créations se caractérisent par le détournement de techniques traditionnelles et l'emploi de teintes naturelles. Leur atelier ferme à la fin des années 1920.

THE WEAVING STUDIO OF EILEEN GRAY AND EVELYN WYLD

In 1910, Eileen Gray opened a weaving studio for the production of carpets and wall hangings with Evelyn Wyld at 17-19 Rue Visconti. Here, the two women adopted traditional weaving techniques that they had discovered during their journey in the Atlas Mountains. In the mid-1920s, eight women worked in their studio, weaving in woollen or cotton thread. Gray was initially the only one in charge of designing patterns, which evolved from relative figuration to more affirmed geometric abstraction, while Wyld took care of production and manufacture. Their creations were characterised by the reappropriation of traditional techniques and the use of natural dyes. Their studio was closed in the late 1920s.

Vase

Vase

circa 1920

Chêne sculpté et laqué
Sculpted and lacquered oak

Collection particulière, courtesy galerie Vallois, Paris ◆ Private collection, courtesy Galerie Vallois, Paris

Lampadaire
Standing lamp
circa 1925

Base en bois laqué noir et orange composée de figures géométriques et cubistes, tige en laiton, abat-jour conique en papier ◆ Base in black and orange lacquered wood with geometric and cubist decor, brass stem, cone-shaped paper lampshade

Pièce unique disposée dans l'appartement d'Eileen Gray au 21, rue Bonaparte, jusqu'à la fin de sa vie ◆ Unique piece placed in the apartment of Eileen Gray at 21 Rue Bonaparte in Paris until the end of her life

Collection particulière
Private collection

Une chambre à coucher boudoir pour Monte-Carlo exposée au Salon de la Société des artistes décorateurs, Paris, 1923
The *Boudoir de Monte-Carlo* exhibited at the Salon de la Société des Artistes Décorateurs, Paris, 1923
Archives galerie Gilles Peyroulet, Paris

UNE CHAMBRE À COUCHER BOUDOIR POUR MONTE-CARLO

En 1923, Gray choisit d'exposer au Grand Palais un projet de *Chambre à coucher boudoir pour Monte-Carlo* lors du 14e Salon de la Société des artistes décorateurs. Cet aménagement, détonnant à l'époque, encensé par Jean Badovici dans un article de *L'Architecture vivante* intitulé « Hall 1922 » et dans la revue avant-gardiste hollandaise *Wendingen*, est nettement plus controversé par la critique française et anglaise.
Bien qu'iconoclaste et réunissant des pièces de mobilier très hétéroclites, le *Boudoir Monte-Carlo* accomplit le tour de force de porter la dissonance à l'état d'harmonie. Avec une étonnante liberté créatrice, Gray témoigne par cette proposition de l'étendue de son talent et de l'audace dont une femme de l'époque devait faire preuve pour présenter, dans un milieu alors réservé aux hommes, un projet si innovant.

THE *BOUDOIR DE MONTE-CARLO*

In 1923, Gray chose to present the *Boudoir de Monte-Carlo* project at the Grand Palais during the 14th Salon de la Société des Artistes Décorateurs. This installation stood out at the time and was praised by Jean Badovici in an article in *L'Architecture Vivante* entitled "Hall 1922", and in the Dutch avant-garde magazine *Wendingen*. It proved much more controversial for French and English critics, however. Although the *Boudoir de Monte-Carlo* is iconoclastic and brings together some very disparate pieces of furniture, it also achieves the tour de force of steering dissonance towards a state of harmony. With surprising creative freedom, Gray testifies to the extent of her talent and audacity in this work: it must have been a challenge for a woman of the era to present such an innovative project in the male-dominated milieu of the time.

Table-coiffeuse
Dressing table
circa 1920

Chêne et sycomore, plateau en verre
Oak and sycamore, glass top

Galerie Vallois, Paris

Lampe
Lamp
circa 1920

Fût à deux éléments effilés en ivoire sculpté et poli, socle en acajou, abat-jour en tissu ◆ Stem with two streamlined elements in sculpted and polished ivory, mahogany base, fabric lampshade

Galerie Vallois, Paris

Divan courbe

Curved divan

1929

Structure en tube d'acier chromé, assise et dossier rembourrés et revêtus de tissu enduit de PVC ◆ Structure in chromed tubular steel, padded and upholstered with PVC coated fabric seat and back

Centre Pompidou, Mnam-Cci, Paris

Meuble d'architecte
Architect's cabinet
1924

Sycomore, poignées en métal chromé
Sycamore, handles in chromed metal

Réalisé pour l'architecte Henri Pacon
Designed for architect Henri Pacon

Joe et Marie Donnelly
Joe and Marie Donnelly

DU MOBILIER MODERNE POUR UN HÔTEL PARTICULIER DU XVIIIE SIÈCLE

Eileen Gray s'installe en 1907 dans un hôtel particulier du XVIIIe siècle donnant sur cour, situé au 21, rue Bonaparte, sur la rive gauche parisienne. Elle y restera jusqu'à la fin de sa vie. C'est dans ce quartier, celui de l'École des beaux-arts et dans lequel de nombreuses femmes artistes ont élu domicile, que Gray mène sa vie personnelle et professionnelle. Esquisses, croquis, dessins et maquettes proviennent du modeste atelier installé dans l'une des pièces de son logement. Réaménagé au début des années 1930, en parallèle au studio qu'elle conçoit pour Jean Badovici rue Chateaubriand, l'appartement accueille son propre mobilier de laque ou de tube chromé. Elle y vivra jusqu'à 98 ans, entourée entre autres du paravent en briques noires, de la *Table ajustable*, de la suspension *Aéroplane*, du tabouret en cuir rouge et du fauteuil d'extérieur pliable.

MODERN FURNITURE FOR AN 18TH CENTURY HÔTEL PARTICULIER

In 1907, Eileen Gray moved into an 18th century hôtel particulier, facing the courtyard, situated at 21 Rue Bonaparte on the Parisian Left Bank. She would live there for the rest of her life. It was in this quarter, where the École des Beaux-Arts was also located, and in which many female artists elected domicile, that Gray would lead both her personal and professional life. Drafts, sketches, drawings and models were produced in her modest studio, installed in one of the rooms of the residence. The apartment was renovated in the early 1930s, along with a studio that she designed for Jean Badovici in Rue Chateaubriand, and contained her own lacquerwork and chromed tubular metal furniture. She lived there until the age of 98, surrounded by the black brick screen, the *Adjustable Table*, the *Airplane* lamp, the red leather stool and the folding outdoor chair, among other pieces.

Tabouret
Stool
1930

Piètement en aluminium, assise en cuir rouge avec une poignée cachée
Aluminium base, seat in red leather with concealed handle

Réalisé pour la chambre personnelle d'Eileen Gray dans son appartement rue Bonaparte, Paris ◆ Made for Eileen Gray's bedroom, in her apartment in Rue Bonaparte, Paris

Collection particulière
Private collection

« IL NE FAUT DEMANDER AUX ARTISTES QUE D'ÊTRE DE LEUR TEMPS. »

"WE MUST ASK NOTHING OF ARTISTS BUT TO BE OF THEIR OWN TIME."

EILEEN GRAY

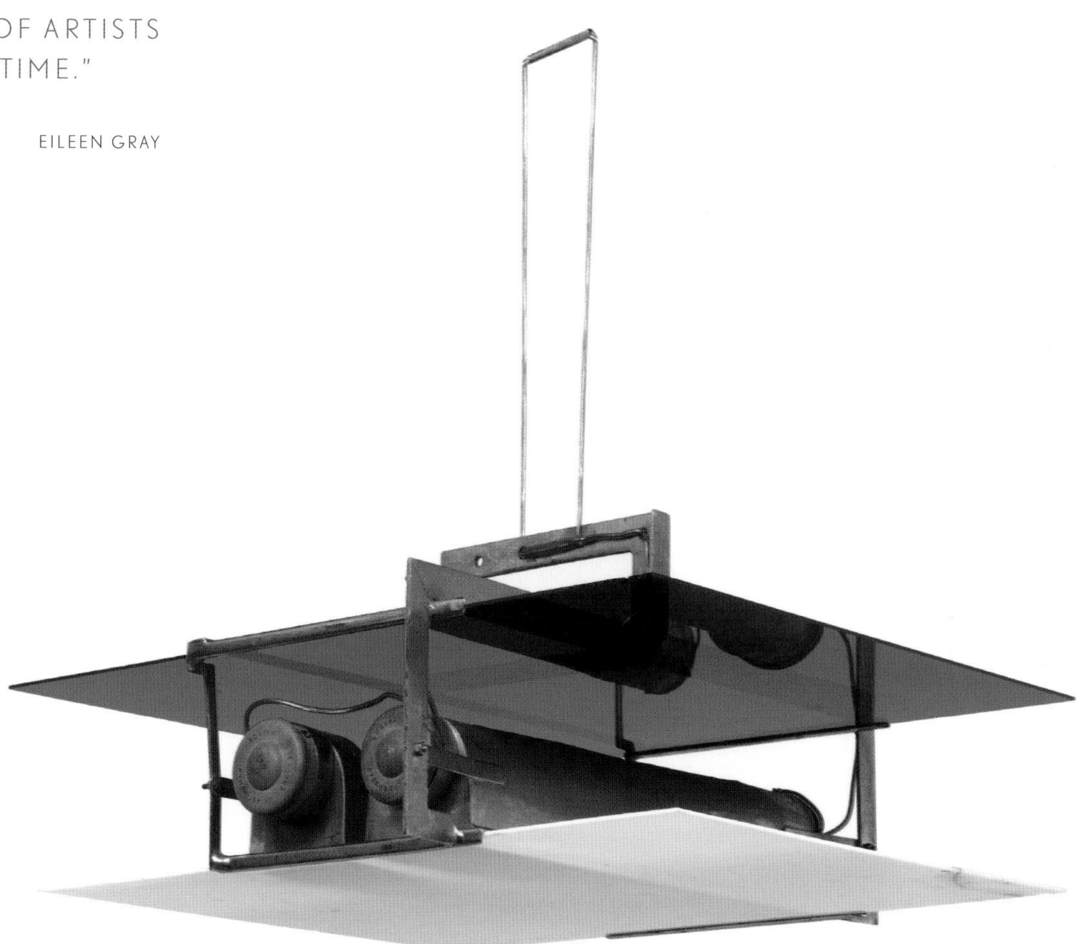

Suspension *Aéroplane*
Airplane lamp
circa 1930

Deux plaques de verre superposées opalin blanc et bleue, structure en métal chromé, deux tubes incandescents insérés dans des embouts en caoutchouc
Two superimposed plates in white and blue opaline glass, chromed metal structure, two incandescent tubes inserted into rubber nozzles

Collection particulière
Private collection

E 1027, UNE MODERNITÉ SENSIBLE

Surplombant la baie de Roquebrune, la « villa en bord de mer » est le fruit de l'énigmatique collaboration de Gray et de l'architecte roumain Jean Badovici. Son nom, *E 1027*, vient à lui seul attester la complexité du rôle de chacun dans l'élaboration du projet : combinaison des prénoms et noms des auteurs – E pour Eileen, 10 pour le J de Jean (dixième lettre de l'alphabet), 2 pour Badovici et 7 pour Gray –, il ne précise rien sinon qu'il fut certainement dessiné à quatre mains. Figure iconique du modernisme, reprenant les cinq points de l'architecture moderne[1], la villa *E 1027* est conçue à partir de 1926 sur la base d'un programme minimum, pour Jean Badovici, un homme qui aime le travail, le sport et recevoir ses amis. Combinaison d'un axe vertical (l'escalier en colimaçon donnant accès au toit-terrasse) et de plans horizontaux (les deux niveaux de la villa surmontés du toit-terrasse), le projet est bien plus qu'une simple construction limitée à la seule frontière de ses murs extérieurs. Orienté selon la course du soleil, agrémenté de systèmes coulissants qui font office de fenêtres, l'espace intérieur de la villa, dialoguant avec l'extérieur, s'envole inexorablement au-dessus des terrasses paysagées vers l'infini bleuté de la mer. Le plan, organisé autour d'une pièce principale, fait la part belle aux espaces secondaires, chacun devant retrouver au sein de cette surface minimale un espace à soi. Gray et Badovici choisissent de « construire pour l'homme », afin « qu'il retrouve dans la construction architecturale la joie de se sentir lui-même, comme en un tout qui le prolonge et le complète. Que les meubles mêmes, perdant leur individualité propre, se fondent dans l'ensemble architectural[2] ». Ainsi, l'épine-paravent accompagne le déplacement du corps et le mobilier extensible s'adapte aux gestes de l'utilisateur. Unité organique dotée d'une âme, *E 1027* est un modèle de modernité sensible.

NOTES

1 Ossature sur pilotis, toit-terrasse, plan libre, fenêtres en bandeau et façade libre.

2 Eileen Gray et Jean Badovici, « De l'éclectisme au doute », *E 1027. Maison en bord de mer*, numéro spécial de *L'Architecture vivante*, Paris, Éd. Albert Morancé, 1929 ; rééd. : Marseille, Éd. Imbernon, 2006, p. 8.

Overlooking Roquebrune Bay, the "seaside villa" was the fruit of an enigmatic collaboration between Gray and Romanian architect Jean Badovici. Its name, *E 1027*, is the only element that attests to the complexity of the role that each played in the elaboration of the project: a combination of the first names and surnames of the authors – E for Eileen, 10 for the J in Jean (the 10th letter of the alphabet), 2 for Badovici and 7 for Gray – which specifies nothing, if not that the project was surely designed in collaboration. An iconic emblem of modernism, incorporating the five points of modern architecture[1], the *E 1027* villa was designed from 1926, based on the essential necessities of Jean Badovici, a man who enjoyed work, sport and entertaining. Involving the combination of a vertical axis (the spiral staircase providing access to the rooftop terrace) and horizontal planes (the two levels of the villa, crowned by the rooftop terrace), the project went far beyond a simple construction bounded by the sole limits of its external walls. The interior space of the villa is oriented according to the sun's trajectory, facilitated by sliding systems that serve as windows and communicate with the exterior, floating inexorably above landscaped terraces towards the endless blue expanse of the sea. The floor plan, organised around a central room, makes the most of secondary spaces, allowing each individual to find their own space within this minimal surface area. Gray and Badovici chose to "construct for human needs", in order "for people to rediscover the joy of feeling perfectly themselves within architectural constructions, as though within a whole that extends and completes the self; in such a way that the furniture itself loses its own individuality and merges into the architectural ensemble"[2]. In this way, her spine-screen accompanies bodily movement and her extendable furniture adapts to the gestures of its user. As an organic unit endowed with a soul, *E 1027* is a model of sensitive modernity.

NOTES

1 Framework on piles, rooftop terrace, open plan, ribbon windows and free façade.

2 Eileen Gray and Jean Badovici, "De l'éclectisme au doute", *E 1027. Maison en bord de mer*, special issue of *L'Architecture Vivante*, Paris, Ed. Albert Morancé, 1929; new ed.: Marseilles, Ed. Imbernon, 2006, p. 8 [our translation].

Vue de la villa *E 1027* depuis la mer, s. d.
View of the *E 1027* villa from the sea, n.d.

Centre Pompidou, Bibliothèque Kandinsky, Paris
Fonds Eileen Gray
Eileen Gray Collection

JEAN BADOVICI ET EILEEN GRAY : LA POÉSIE DE L'ÉNIGME

L'histoire de l'architecture retient de la brillante association entre Eileen Gray et l'architecte roumain Jean Badovici (1893-1956) la réalisation de l'une des icônes de l'architecture moderne, la villa *E 1027*. Il est certain que grâce à Badovici, créateur de la revue *L'Architecture vivante*, Gray accède aux projets des architectes les plus avant-gardistes de son époque. Au début des années 1930, elle lui aménage son studio rue Chateaubriand, et au début des années 1950, il crée un canot à ses initiales, *E7*[1]. De la date inconnue de leur rencontre à leur énigmatique relation, se sont jouées à travers leur dialogue littéraire et conceptuel les plus belles heures de l'architecture moderne.

1 – E comme Eileen, 7 comme le G de Gray, septième lettre de l'alphabet.

JEAN BADOVICI AND EILEEN GRAY: POETRY OF THE ENIGMATIC

The brilliant association between Eileen Gray and Romanian architect Jean Badovici (1893-1956) went down in architectural history for creating one of the icons of modern architecture, the *E 1027* villa. It was certainly thanks to Badovici, the creator of the magazine *L'Architecture Vivante*, that Gray had access to the most avant-garde architectural projects of her era. In the early 1930s, she designed his studio in Rue Chateaubriand, and in the early 1950s, he created a boat bearing her initials, *E7*[1]. From the unknown date of their first meeting to their enigmatic relationship, the finest hours of modern architecture were played out through their literary and conceptual exchanges.

1 – E for Eileen, 7 for the G in Gray, the 7th letter of the alphabet.

Jean Badovici à Vézelay, milieu des années 1930
Jean Badovici in Vézelay, in the mid-1930s

Collection particulière
Private collection

Table ajustable

Adjustable table

1926-1929

Structure en acier tubulaire laqué, plateau circulaire transparent en acétate de cellulose, hauteur réglable
Structure in lacquered tubular steel, transparent circular top in cellulose acetate, adjustable height

Mobilier provenant de *E 1027*, Roquebrune-Cap-Martin ◆ Furniture from *E 1027*, Roquebrune-Cap-Martin

Centre Pompidou, Mnam-Cci, Paris

E 1027, salon

E 1027, living room

Sont visibles le fauteuil *Transat*, un tapis et une composition murale, *L'Invitation au voyage*. ◆ The *Transat* chair, a carpet and a mural composition, *L'Invitation au voyage* [*Invitation to the Voyage*], are visible.

Centre Pompidou, Bibliothèque Kandinsky, Paris
Fonds Eileen Gray
Eileen Gray Collection

Fauteuil *Bibendum*
Bibendum armchair
circa 1930

Dossier et accoudoirs formés de deux rouleaux superposés s'évasant et cousus sur une assise profonde en demi-cercle, garniture en toile d'origine couleur ivoire, base en métal chromé
Back and armrests made of two flared stacked rolls, stitched onto a deep semi-circular seat, canvas upholstery, originally ivory-coloured, chromed metal base

Cette première édition sera suivie par une autre version en cuir blanc.
This first edition would later be followed by a variant in white leather.

Mobilier provenant de l'appartement de Mme Tachard ◆ Furniture from the apartment of Mme Tachard

Collection particulière
Private collection

Double prise électrique
Double electrical plug
1925

Aluminium, bois et cuivre
Aluminium, wood and copper

Utilisée pour la terrasse de *E 1027*, Roquebrune-Cap-Martin
Used for the terrace of *E 1027*, Roquebrune-Cap-Martin

Collection particulière
Private collection

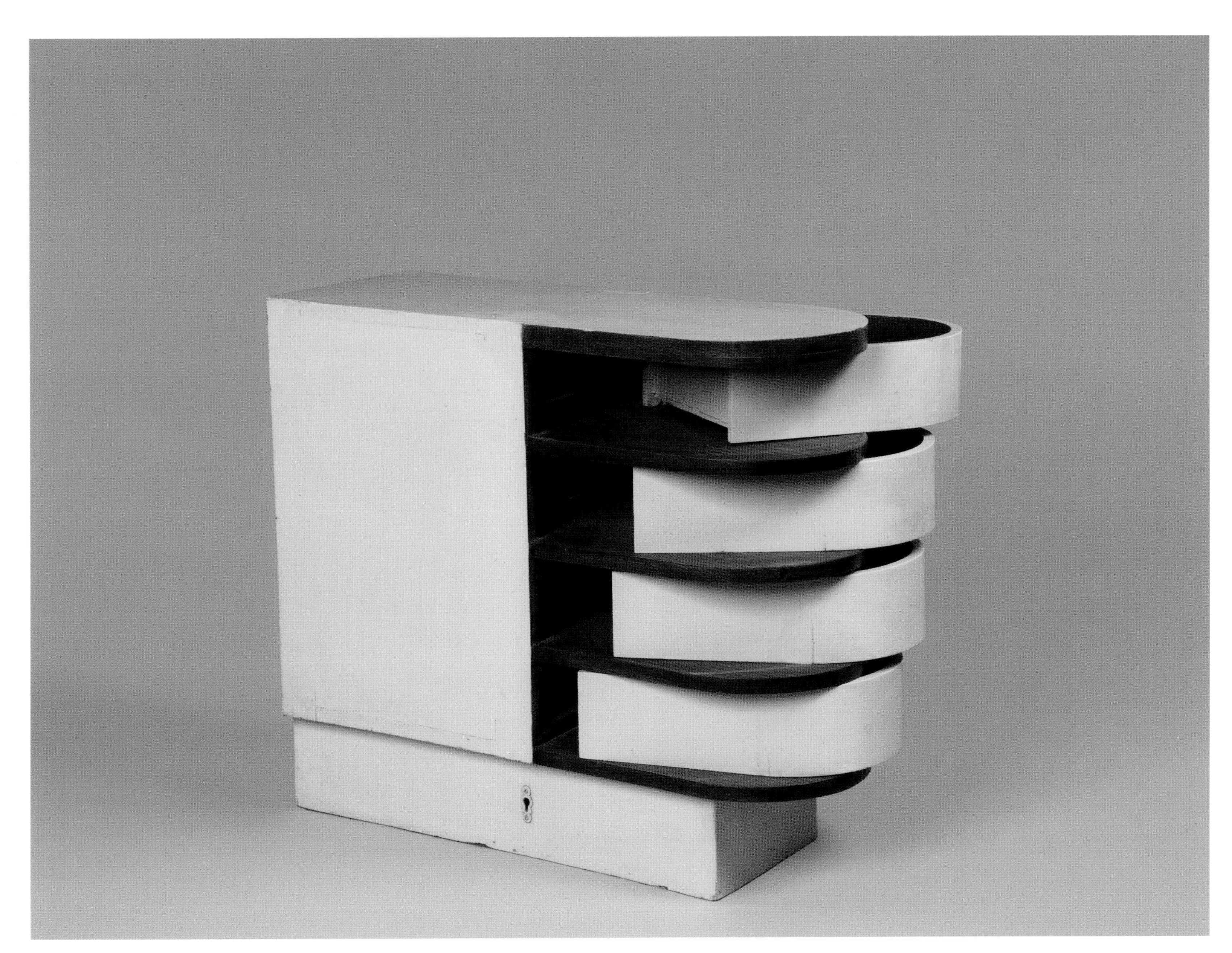

Cabinet à tiroirs pivotants
Cabinet with pivoting drawers
1926-1929

Bois peint ◆ Painted wood

Mobilier provenant de *E 1027*, Roquebrune-Cap-Martin ◆ Furniture from *E 1027*, Roquebrune-Cap-Martin

Centre Pompidou, Mnam-Cci, Paris

Table de salle à manger

Dining table

circa 1927

Métal tubulaire, liège et bois

Tubular metal, cork and wood

Réalisée pour *E 1027*,
Roquebrune-Cap-Martin

Made for *E 1027*,
Roquebrune-Cap-Martin

Galerie Anne-Sophie Duval, Paris

Chaise de salle à manger
Dining room chair
circa 1926-1929

Structure en acier tubulaire nickelé, dossier légèrement incliné agrémenté de deux barreaux horizontaux, assise gainée de cuir brun d'origine, reposant sur deux pieds avant droits et deux pieds arrière cambrés, terminés par quatre patins circulaires en bubinga
Structure in nickel-plated tubular steel, slightly inclined back, decorated with two horizontal bars, seat encased in original brown leather, resting on two straight frontal legs and two arched back legs, ending in four circular pads in bubinga wood

Centre Pompidou, Mnam-Cci, Paris

Fauteuil *Transat*
Transat chair
1926-1929

Structure en sycomore verni avec pièces d'assemblage en acier nickelé, assise en cuir noir synthétique, appui-tête orientable ◆ Structure in varnished sycamore with assembled parts in nickel-plated steel, seat in synthetic black leather, adjustable headrest

Mobilier provenant de *E 1027*, Roquebrune-Cap-Martin ◆ Furniture from *E 1027*, Roquebrune-Cap-Martin

Centre Pompidou, Mnam-Cci, Paris

LE FAUTEUIL *TRANSAT*

Le fauteuil *Transat* est dessiné par Eileen Gray en 1924. Fabriqué au milieu des années 1920, il est l'une de ses rares pièces à être produites en série de manière artisanale. Il est composé d'une assise suspendue en cuir souple et flexible, et d'une structure géométrique en bois naturel ou laqué, l'appui-tête qui bascule pour accompagner le mouvement de la tête servant de trait d'union entre ces deux éléments. Décliné dans différentes versions qui combinent plusieurs matériaux – sycomore blond et cuir noir, bois laqué noir et toile enduite vert céladon ou encore bois laqué noir et cuir naturel – le fauteuil *Transat* a été choisi par Eckart Muthesius pour la chambre de la résidence du maharajah d'Indore.

THE *TRANSAT* CHAIR

Eileen Gray designed the *Transat* chair in 1924. It was manufactured in the mid-1920s and was one of the rare pieces by Gray that was handcrafted in series. It consists of a suspended seat, made from supple, flexible leather, and a geometric structure made from natural or varnished wood, with a headrest that swivels to accompany the movement of the head, serving as a link between these two elements. The chair has a range of different versions that combine various materials – blonde sycamore and black leather, black lacquered wood and celadon green canvas, or black lacquered wood and natural leather – the *Transat* chair was chosen by Eckart Muthesius for the bedroom of the residence of the Maharajah of Indore.

« CE QU'IL FAUT C'EST DONNER À L'OBJET LA FORME QUI CONVIENT LE MIEUX AU GESTE SPONTANÉ OU AU REFLEXE INSTINCTIF AUXQUELS IL CORRESPOND PAR SA DESTINATION. »

"AN OBJECT MUST BE GIVEN THE FORM BEST SUITED TO THE SPONTANEOUS GESTURE OR THE INSTINCTIVE REFLEX THAT CORRESPONDS TO ITS PURPOSE."

EILEEN GRAY

« POUR CRÉER, IL FAUT D'ABORD REMETTRE TOUT EN QUESTION. »

"TO CREATE, ONE MUST FIRST CALL EVERYTHING INTO QUESTION."

EILEEN GRAY

LA COIFFEUSE-PARAVENT

Conçue pour la villa *E 1027*, la coiffeuse-paravent est placée dans la chambre à coucher principale. Positionnée perpendiculairement au mur, elle fait office de paravent, en séparant l'espace nuit du lavabo d'appoint. Cette pièce témoigne de tout l'intérêt qu'Eileen Gray porte à la diversité des matériaux, simples ou précieux : la structure, composée de bois peint recouvert d'une feuille d'aluminium, accueille des étagères en verre, des tiroirs en liège tapissés de feuilles d'argent, et deux portes asymétriques faisant office de miroirs. La coiffeuse, exécutée dans différentes versions, joue sur la multifonctionnalité d'une pièce de mobilier et invite à des sensations tactiles et visuelles.

THE TOILETRY CABINET/SCREEN

Designed for the *E 1027* villa, the toiletry cabinet/screen was placed in the master bedroom. Positioned perpendicular to the wall, it served as a screen, separating the night table area from the washbasin. This piece testifies to Eileen Gray's keen interest in using a diverse range of simple or precious materials: the structure is made from painted wood covered in aluminium leaf, supporting glass shelves, drawers made from cork lined with silver leaf, and two asymmetrical doors that serve as mirrors. The toiletry cabinet existed in various versions, playing on the multipurpose nature of a piece of furniture, while inviting tactile and visual sensations.

Coiffeuse-paravent

Toiletry cabinet/screen

1926-1929

Structure en bois peint habillée de feuille d'aluminium, miroirs, étagères en verre, tiroirs mobiles et pivotants garnis de liège et tapissés de feuilles d'argent ◆ Structure in painted wood, decorated in aluminium leaf, mirrors, glass shelves, mobile and pivoting drawers lined in cork and silver leaf

Mobilier provenant de *E 1027*, Roquebrune-Cap-Martin ◆ Furniture from *E 1027*, Roquebrune-Cap-Martin

Centre Pompidou, Mnam-Cci, Paris

TEMPE A PAILLA

Après la réalisation de la villa *E 1027*, Eileen Gray se lance dans la construction de sa propre maison, *Tempe a Pailla* (en dialecte mentonnais, « le temps de bailler »), qui est l'unique projet qu'elle conçoit entièrement seule. Édifiée à partir de 1934 sur d'anciennes citernes construites le long de la route de Castellar, sur les hauteurs de Menton, au milieu des vignes et des citronniers, la maison est cachée des regards mais reste ouverte sur le monde. Elle résume à elle seule la personnalité de Gray, discrète et en retrait, mais parfaitement informée des événements de son temps. *Tempe a Pailla* reprend certains concepts de la villa *E 1027* (fenêtre en bandeau, volets coulissants, jeu de translations intérieur / extérieur) en multipliant les références au paquebot (mât dressé au-dessus de la maison, système de rangement dissimulé dans un faux plafond, mobilier escamotable, percements circulaires) et en ajoutant au schéma d'ensoleillement un schéma directionnel des vents. Gray choisit néanmoins un traitement architectural à la croisée du modernisme et du vernaculaire. Son intention est davantage de répondre à un programme lié aux déplacements d'une femme dans l'espace qu'aux principes de l'architecture énoncés par le mouvement moderne. À l'image de l'armoire extensible, elle porte ici à son paroxysme la relation architecture / mobilier. Qualifiée à juste titre par Brigitte Loye de « laboratoire de prototypes », *Tempe a Pailla* est pillée et grandement endommagée pendant la guerre. Gray se lance dans un vaste programme de restauration mais finit par vendre la maison en 1955 au peintre Graham Sutherland.

After completing the *E 1027* villa, Eileen Gray embarked on the construction of her own house, *Tempe a Pailla* (meaning "Time for Yawning" in Mentonasc dialect), which is the only project that she designed entirely independently. Construction began in 1934, on top of former cisterns located all the way along the Route de Castellar, in the heights of Menton, amid vineyards and citrus trees. The house was intended to be hidden from view while remaining open to the world. This house in itself sums up Gray's personality – discreet and retiring, but perfectly informed of the events of her era. *Tempe a Pailla* repeats certain concepts of the *E 1027* villa (ribbon windows, sliding shutters, interior/exterior interplay) by multiplying references to ocean liners (a mast erected above the house, a storage system hidden by a false ceiling, retractable furniture, or circular openings) and by adding a schema for directing wind to the schema of natural lighting. Gray nonetheless chose an architectural treatment at the crossroads of modernism and the vernacular. Her primary intention was to respond to a programme related to the movements of a woman in space, rather than to the principles of architecture proclaimed by the modernist movement. Here, as with the extendable wardrobe, she developed the architecture/furniture relationship to its utmost. Appropriately qualified by Brigitte Loye as "laboratory of prototypes", *Tempe a Pailla* was looted and greatly damaged during the war. Gray embarked on a vast programme of restoration, but ended up selling the house in 1955 to painter Graham Sutherland.

Tempe a Pailla, terrasse
Tempe a Pailla, terrace
s. d. ◆ n. d.

Centre Pompidou, Bibliothèque
Kandinsky, Paris
Fonds Eileen Gray
Eileen Gray Collection

Chaise de terrasse pliante

Folding deck chair

1930-1933

Structure en métal avec dossier rabattable, toile de bâche et tendeurs

Metal structure with folding back, tarpaulin and straps

Réalisée pour *Tempe a Pailla*, Castellar

Made for *Tempe a Pailla*, Castellar

Collection particulière

Private collection

Tabouret
Stool
circa 1928-1930

Structure en cornière de métal apparente, tiges en fer, base en bois peint, assise en toile enduite avec surpiqûres
Visible curved metal structure, iron stems, base in painted wood, treated canvas seat with oversewn seams

Collection particulière
Private collection

Paire de chaises
Pair of chairs
circa 1930

Métal tubulaire chromé, cuir et caoutchouc
Chromed tubular metal, leather and rubber

Disposées dans *Tempe a Pailla*, Castellar
Placed in *Tempe a Pailla*, Castellar

Galerie Anne-Sophie Duval, Paris

Table basse
Coffee table
1935

Bois et métal tubulaire ◆ Wood and tubular metal

Réalisée pour *Tempe a Pailla*, Castellar
Made for *Tempe a Pailla*, Castellar

National Museum of Ireland, Dublin

LE MOBILIER PROTOTYPE

Dans la maison *Tempe a Pailla*, Gray développe ses recherches sur le mobilier : meuble à pantalons, *Siège-escabeau-porte-serviettes*, banquette escamotable, miroir pivotant, chaise à assise amovible ou encore chaise de terrasse pliante. Elle explore fonction, forme et matériau pour aboutir à des pièces uniques, prototypes hors du commun. À l'image du *Siège-escabeau-porte-serviettes*, elle multiplie les fonctions d'un même objet, réduisant ainsi le nombre de meubles nécessaires à son propre mode de vie. Jouant avec les rapports d'échelles et privilégiant l'optimisation de l'espace, Gray répond à la proposition énoncée dans l'article de 1929, « De l'éclectisme au doute » : « Mais alors qu'autrefois l'unité était toute extérieure, il s'agit de la faire aussi bien intérieure et embrassant les moindres détails[1]. »

1 – Eileen Gray et Jean Badovici, « De l'éclectisme au doute », *E 1027. Maison en bord de mer*, numéro spécial de *L'Architecture vivante*, Paris, Éd. Albert Morancé, 1929 ; rééd. : Marseille, Éd. Imbernon, 2006, p. 6.

PROTOTYPE FURNITURE

In the *Tempe a Pailla* house, Gray developed her research into furniture with a pant rack, a *Seat-stepladder-towel-rack*, a retractable bench, a pivoting mirror, and a chair with movable seat or folding deck chair. She explored function, form and materials, resulting in unique pieces and unusual prototypes. As with the *Seat-stepladder-towel-rack*, she multiplied the functions of a single object, thus reducing the number of items of furniture required to suit her lifestyle. By playing on scale ratios and favouring the optimisation of space, Gray responded to the proposition stated in the 1929 article "De l'éclectisme au doute" [From eclecticism to doubt]: "Whereas the unity was entirely external in the past, it is now a question of also making it internal and incorporating the slightest details."[1]

1 – Eileen Gray and Jean Badovici, "De l'éclectisme au doute", *E 1027. Maison en bord de mer*, special issue of *L'Architecture Vivante*, Paris, Ed. Albert Morancé, 1929; new ed.: Marseilles, Ed. Imbernon, 2006, p. 6 [our translation].

Siège-escabeau-porte-serviettes
Seat-stepladder-towel-rack
1930-1933

Bois peint bicolore blanc et vert foncé
Two-toned white and dark green painted wood

Réalisé pour *Tempe a Pailla*, Castellar
Made for *Tempe a Pailla*, Castellar

Collection particulière
Private collection

Meuble mobile pour pantalons
Mobile pant rack
1930-1933

Contreplaqué peint, celluloid transparent vissé, cornières, quatre roulettes et sept cintres en aluminium ◆ Painted plywood, transparent screwed-on celluloid, L-sections, four wheels and seven aluminium hangers

Réalisé pour *Tempe a Pailla*, Castellar
Made for *Tempe a Pailla*, Castellar

Collection particulière
Private collection

CRÉATIONS INTIMES

La pratique de la peinture, bien que considérée comme annexe dans la création d'Eileen Gray, n'en est pas moins continue tout au long de sa vie. Sa formation d'artiste peintre

◆◆ à la Slade School of Fine Art, à l'Académie Colarossi et à l'Académie Julian l'amène à exposer une aquarelle en 1902 puis une peinture en 1905 pour le Salon de la Société des artistes français au Grand Palais[1]. À cette période, Gray est très proche du portraitiste Gerald Festus Kelly et de l'un des fondateurs, en 1914, du vorticisme, Percy Wyndham Lewis. Si elle délaisse pour un temps le support de la toile et du papier, elle ne renonce pas pour autant à la peinture et au dessin. Panneaux de laque et tapis deviennent ses nouveaux supports de création, à travers lesquels elle développe ses recherches sur l'abstraction géométrique, les matières et les finitions de surface, les couleurs et leur profondeur. Le dessin d'architecture monopolise une grande partie de son attention à partir du milieu des années 1920, même si elle continue en parallèle à pratiquer la peinture, la photographie et le collage tout au long de sa vie. Les lettres de Gray à sa nièce, la peintre Prunella Clough, témoignent du vif intérêt qu'elle porte encore à sa première formation, alors qu'elle a plus de 90 ans : « Je peux concevoir que tu t'interroges sur le fait de continuer à peindre, la peinture est évidente ou destructrice [...]. Je comprends ce que Tapié voulait dire quand il disait qu'il n'était pas nécessaire que la peinture exprime quoi que ce soit mais juste soit[2]. »

NOTES

1 L'aquarelle *Derniers rayons de soleil d'une belle journée* a été présentée au 120e Salon de la Société des artistes français, en 1902, et la peinture *Femme au sablier* au 123e Salon de la Société des artistes français en 1905.

2 Eileen Gray, lettre à Prunella Clough, années 1970, collection particulière, Paris.

PERSONAL CREATION

While it is considered as secondary to Eileen Gray's creation, the practice of painting was nonetheless continuous throughout her life. Her training as a painter at the Slade School of Fine Art, the Académie Colarossi

◆◆ and the Académie Julian led her to exhibit a watercolour in 1902 then a painting in 1905 for the Salon de la Société des Artistes Français held at the Grand Palais[1]. During this period, Gray was very close to portraitist Gerald Festus Kelly and to one of the founders of Vorticism (in 1914), Percy Wyndham Lewis. Although she abandoned canvas and paper media for some time, she nonetheless never stopped painting and drawing. Lacquerwork panels and carpets became her new media of choice, through which she developed her research into geometric abstraction, materials and surface finishes, colours and their depth. Architectural drawing monopolised a large part of her attention from the mid-1920s onwards, even though she continued in parralel to practice painting, photography and collage, throughout her life. Gray's letters addressed to her niece, the painter Prunella Clough, bear witness to the strong interest that she still had in her initial training, despite the fact that she was over 90 years old at the time: "I can understand you ask yourself sometimes why go on, when painting seems to aim either at total facility or total destruction... I can see what Tapié means when he says it's unnecessary that painting should express anything at all, but just be"[2].

NOTES

1 The watercolour *Last Rays of Sun on a Beautiful Day* was presented at the 120th Salon de la Société des Artistes Français, in 1902, and the painting *Woman with an Hourglass* at the 123rd Salon de la Société des Artistes Français in 1905.

2 Eileen Gray, letter to Prunella Clough, 1970s, private collection, Paris.

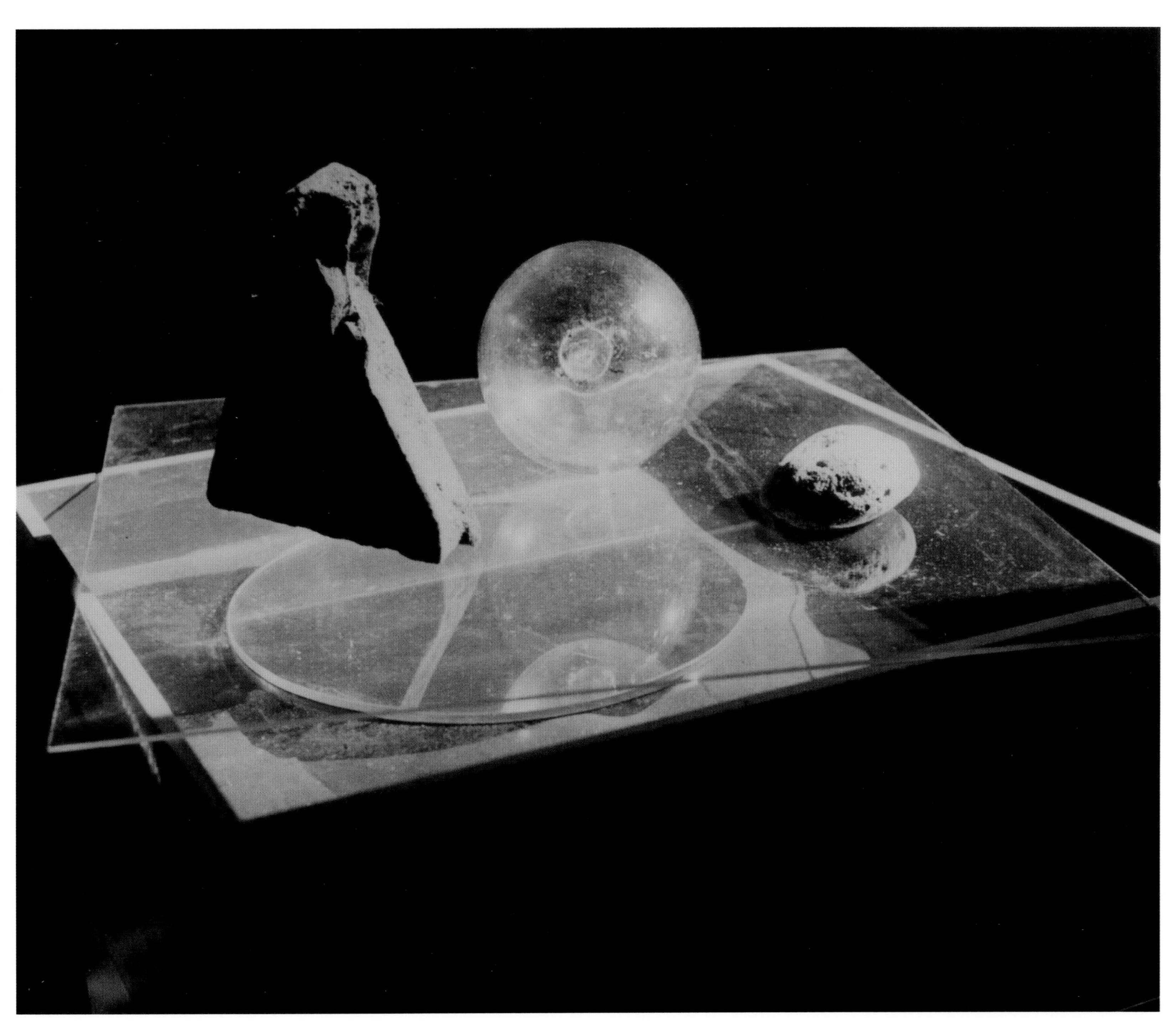

Tablescape
années 1920
1920s

Tirage argentique ◆ Gelatin silver print

Collection particulière
Private collection

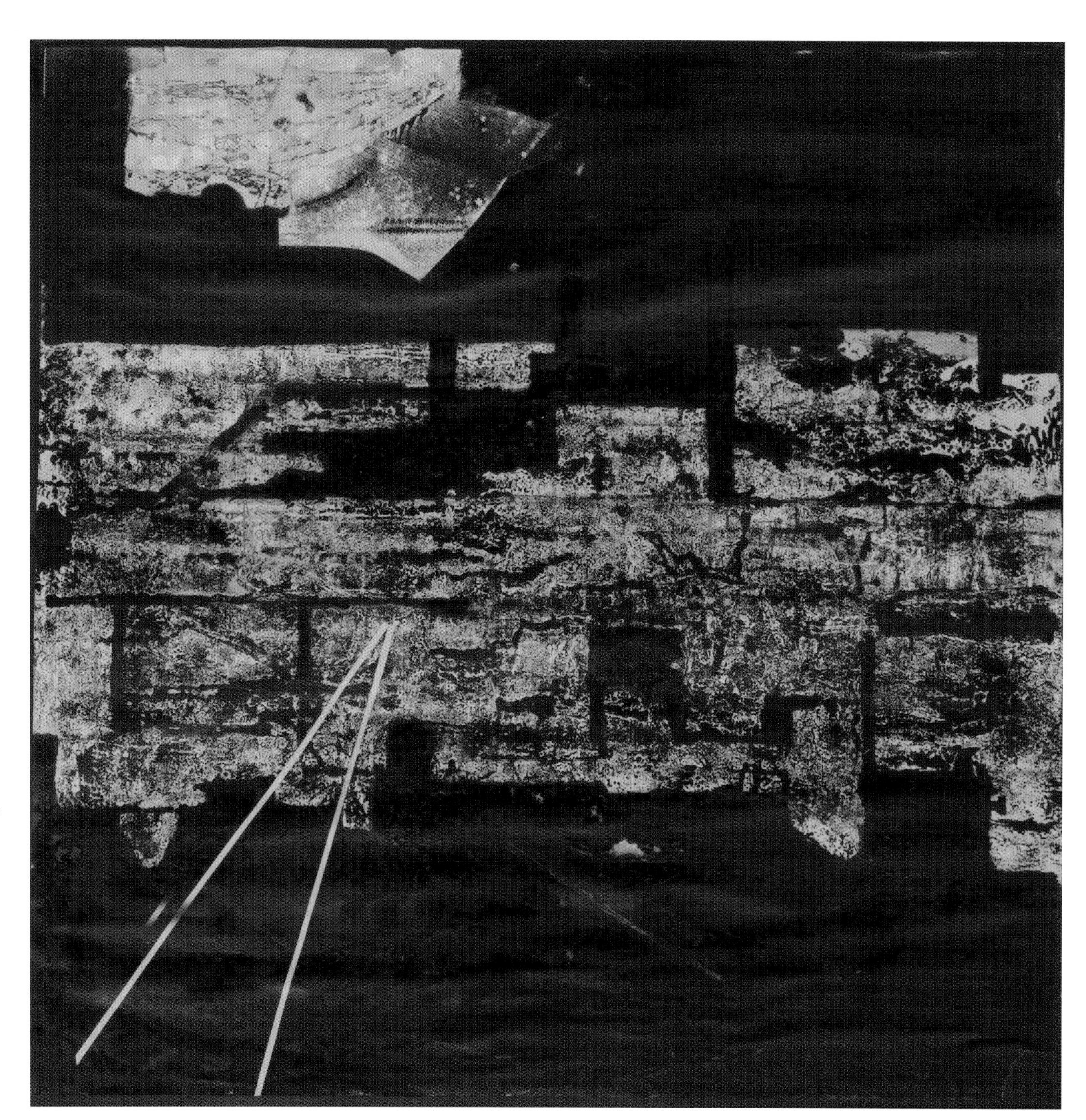

Sans titre
Untitled
circa 1940

Collage et gouache sur papier
Collage and gouache on paper

Collection particulière
Private collection

Sans titre

Untitled

circa 1930

Collage et gouache sur papier

Collage and gouache on paper

Collection particulière

Private collection

Eileen Gray

Maison ellipse

Ellipse House

1958

Maquette originale ◆ Original model

RIBA Library Drawings and Archives Collections

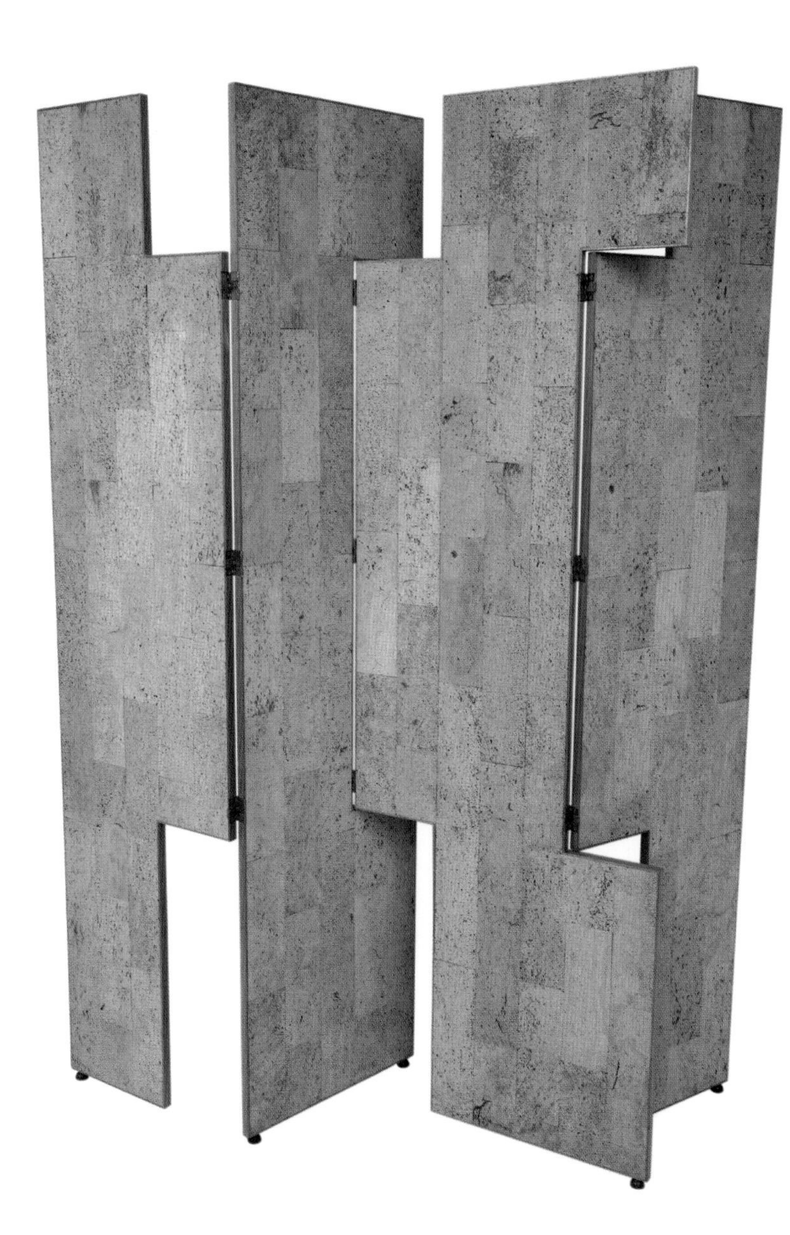

Paravent
Screen
1973

D'après un modèle de 1960
Based on a model from 1960

Quatre panneaux en liège
Four cork panels

Édité en 5 exemplaires
Edition of 5

Bristol Museums & Art Gallery, Bristol

LOU PÉROU, LE DERNIER REFUGE ESTIVAL

À 76 ans, Eileen Gray décide de restaurer une bastide abandonnée qu'elle détient depuis 1939 au cœur d'un vignoble, non loin de la chapelle Sainte-Anne, au sud de Saint-Tropez. *Lou Pérou* sera son dernier refuge estival. La sobriété du lieu, la simplicité des volumes, la rusticité des matériaux, la proximité de la nature séduisent la créatrice qui vient de se séparer de sa maison *Tempe a Pailla*. Mais à la différence de *E 1027* et *Tempe a Pailla*, *Lou Pérou* se dessine dans un style clairement vernaculaire. Au début des années 1960, Gray conçoit certainement à *Lou Pérou* les esquisses de son futur paravent en liège, sa dernière pièce de mobilier, qui sera fabriquée en 1973.

LOU PÉROU: THE LAST SUMMER REFUGE

At the age of 76, Eileen Gray decided to restore an abandoned Provençal cottage that she had owned since 1939. In the heart of a vineyard, not far from the Chapelle Sainte-Anne, south of Saint-Tropez, *Lou Pérou* was to be her last summer refuge. The sobriety of the site, the simplicity of the volumes, the rustic nature of the materials and the proximity to nature won over the designer, who had just sold her *Tempe a Pailla* house. But unlike *E 1027* and *Tempe a Pailla*, *Lou Pérou* was drawn in a clearly vernacular style. In the early 1960s, Gray no doubt drafted her future cork screen at *Lou Pérou*: this was to be her last piece of furniture, entering production in 1973.

CENTRE NATIONAL D'ART ET DE CULTURE GEORGES POMPIDOU

Le Centre national d'art et de culture Georges Pompidou est un établissement public national placé sous la tutelle du ministère chargé de la culture (loi n° 75-1 du 3 janvier 1975)

L'exposition « Eileen Gray » est réalisée avec le soutien de
The "Eileen Gray" exhibition is sponsored by

EXPOSITION
EXHIBITION

COMMISSAIRE – CURATOR
Cloé Pitiot

ATTACHÉE DE CONSERVATION
CURATOR ASSISTANT
Marielle Dagault-Ferrari

CHARGÉES DE RECHERCHES ET DE COORDINATION – EXHIBITION COORDINATORS AND CURATORIAL ASSISTANTS
Elise Koering
Jennifer Laurent

CHARGÉES DE PRODUCTION
PRODUCTION
Dominique Kalabane
Véronique Labelle

ARCHITECTE-SCÉNOGRAPHE
ARCHITECT AND SCENOGRAPHER
Corinne Marchand

EN COUVERTURE ◆ COVER
Fauteuil *Transat*
Transat chair
1927-1929
Centre Pompidou, Mnam-Cci, Paris
(Voir – See p. 42)

ALBUM
ALBUM

Album réalisé à l'occasion de l'exposition « Eileen Gray » présentée à Paris, au Centre Pompidou, Musée national d'art moderne (Galerie 2), du 20 février au 20 mai 2013
Album published on the occasion of the exhibition "Eileen Gray" held in Paris, at the Centre Pompidou, Musée National d'Art Moderne (Galerie 2), 20 February–20 May 2013

CONCEPTION ET RÉDACTION
EDITORS AND AUTHORS
Cloé Pitiot
assistée de – assisted by
Jennifer Laurent

CHARGÉE D'ÉDITION – COPY EDITOR
Audrey Klébaner

TRADUCTION ANGLAISE
ENGLISH TRANSLATION
Anna Knight

TRADUCTION FRANÇAISE
FRENCH TRANSLATION
Jean-François Allain
(Éléments biographiques – Selective Biography)
Jennifer Laurent (Citations – Quotations)

CONCEPTION GRAPHIQUE
GRAPHIC DESIGN
Laure Cérini

DROITS DE REPRODUCTION – RIGHTS
Xavier Delamare

FABRICATION – PRODUCTION
Audrey Chenu

DIRECTION DES ÉDITIONS
PUBLICATIONS DEPARTMENT

DIRECTEUR – DIRECTOR
Nicolas Roche

DIRECTEUR ADJOINT, CHEF DU SERVICE ÉDITORIAL – DEPUTY DIRECTOR, HEAD OF PUBLISHING
Jean-Christophe Claude

RESPONSABLE DU PÔLE ÉDITORIAL
EDITORIAL MANAGER
Françoise Marquet

RESPONSABLE DU SERVICE ICONOGRAPHIE ET GESTION DES DROITS – IMAGE AND RIGHTS MANAGEMENT
Claudine Guillon

CHEF DU SERVICE COMMERCIAL
SALES MANAGER
Marie-Sandrine Cadudal

RESPONSABLE DU PÔLE VENTES ET STOCK – DISPATCH AND STOCK CONTROL
Josiane Peperty

GESTION ADMINISTRATIVE ET FINANCIÈRE – ADMINISTRATIVE AND FINANCIAL MANAGEMENT
PÔLE DÉPENSES – PAYMENTS
Nicole Parmentier
PÔLE RECETTES – RECEIPTS
Matthias Battestini

CRÉDITS PHOTOGRAPHIQUES ◆ PHOTOGRAPHIC COPYRIGHTS

SOURCES DES CITATIONS ◆ QUOTATIONS REFERENCES

p. 18 : Jean Badovici, « Eileen Gray », *L'Architecture vivante*, n° 6, hiver 1924, p. 27.
p. 31 : Eileen Gray, dans E. Gray et J. Badovici, « De l'éclectisme au doute », *E 1027. Maison en bord de mer*, numéro spécial de *L'Architecture vivante*, Paris, Éd. Albert Morancé, 1929 ; rééd. : Marseille, Éd. Imbernon, 2006, p. 5.
p. 43 : *Ibid.*, p. 6.
p. 44 : E. Gray, citée dans Peter Adam, *Eileen Gray, sa vie, son œuvre*, Paris, Éditions de la différence, 2012, n. p.

IMMA EXHIBITION TEAM

Published on the occasion of the exhibition "Eileen Gray" held in Dublin, at the Irish Museum of Modern Art (www.imma.ie), October 2013 - January 2014.
ISBN: 978-1-907020-95-7

DIRECTOR
Sarah Glennie

SENIOR CURATOR HEAD OF EXHIBITIONS
Rachael Thomas

CURATOR EXHIBITIONS
Sean Kissane

ASSISTANT CURATOR EXHIBITIONS
Georgie Thompson

OPERATIONS MANAGER
Gale Scanlan

TECHNICAL CREW SUPERVISOR
Cillian Hayes

With the support of the French Embassy in Ireland (www.ambafrance-ie.org)

ISBN : 978-2-84426-596-8
N° éditeur : 1517
Dépôt légal : février 2013

Achevé d'imprimer en janvier 2013, sur les presses d'IME, à Baumes les Dames, en France.